ZLATÁ KNIHA SLOVENSKA
THE GOLDEN BOOK OF SLOVAKIA
LE LIVRE D'OR DE LA SLOVAQUIE
DAS GOLDENE BUCH DER SLOWAKEI
IL LIBRO D'ORO DELLA SLOVACCHIA
LIBRO DE ORO DE ESLOVAQUIA
ЗОЛОТАЯ КНИГА СЛОВАКИИ

ZLATÁ KNIHA

Stupava, 1991

SLOVENSKA

ARTTEP

PHOTOGRAPHY:

Blahout, Milíč (strana 150 dolu)
Bobula, Juraj (predná strana obálky, predná predsádka, 66, 79, 81 dolu, 108, 126, 127 hore, 128–129, 130, 131, 135, 136, 139, 140, 141, 142, 146, 147, 148, 149, 151 hore, 152 hore, 153 hore, 192)
Breier, Pavol (18 hore, 32, 154–155)
Červeňanský, Mikuláš (7, 8, 157, 160, 172)
ČSTK (187)
Danko, Štefan (36 hore, 91 hore)
Demuth, Karol (2–3, 24 hore, 28, 31, 33 hore, 35 dolu, 40, 46–49, 53, 54, 55–57, 58, 60 hore, 68, 75, 76–77, 80, 84, 88, 102, 137, 143, 144–145, 184, 190)
Dugas Dionýz (12, 39 hore, 87, 92, 93, 94, 95, 106, 107, 118 hore, 119, 120, 122–123, 124 dolu, 125)
Grossmann, Igor (69, 89 dolu, 115, 167, 168)
Havran, Pavol (21 hore)
Karásek, Oldřich (10, 11, 23 dolu, 27, 33 dolu, 72, 74, 86, 99, 112, 117, 118 dolu, 132–133, 134, 156, zadná strana obálky)
Kunc, Ludvík (52 dolu)
Launer, Vladimír (181)
Meluš, Pavol (188–189)
Nehera, Otokar (41, 60 dolu, 67)
Paul, Petr (13, 15, 16–17, 18 dolu, 19, 20, 21 dolu, 22, 23 hore, 24 dolu, 29, 30, 38 hore, 39 dolu, 42, 43, 44, 45, 55, 64–65, 85, 89 hore, 98, 100–101, 103, 104–105, 110, 111, 114, 116, 124 hore, 161, 162, 164, 165, 166, 169, 170, 171, 173, 179, 180, 185, 186, zadná predsádka)
Pavlík, Přemysl (1, 25, 26 dolu, 36 dolu, 37 dolu, 71, 82-83, 121, 138)
Pospíšil, Peter (113)
Repka, Pavol (151 dolu)
Schreiber, Bedrich (177)
Staněk, Oldřich (34 hore, 35 hore, 38 dolu, 50, 51, 70, 81 hore, 90, 109 hore, 127 dolu, 152 dolu, 153 dolu)
Šroll, Bohumil (62, 63, 78, 96)
Vlach, Jindro (52 hore)
Vlach, Zdeno (14, 26 hore, 34 dolu, 37 hore, 59, 61, 73, 91 dolu, 97, 109 dolu, 150 hore)
Vyskočil, Kamil (9, 158, 159, 163, 174, 175, 176, 182, 183)

Scenár a zostavenie: Vladimír Babnič, zodpovedný redaktor
Predslov: Vladimír Ferko
Preklady: angličtina / Mária Jakubičková
francúzština / PhDr. Vladimíra Hudáková
nemčina / Helene Katriňáková
ruština / Eugénia Vasilievová
španielčina / PhDr. José López Alonso
taliančina / PhDr. Mária Miháliková
Za inojazyčné texty zodpovedá: Ľubica Augustínová
Lektorovali: národný umelec Vladimír Mináč a Oľga Rázgová
Prebal a väzbu navrhol a knihu graficky upravil František Šubín

Na prednej strane obálky panoráma Vysokých Tatier, na zadnej strane Bratislavského hradu. Na predsádkach vysokotatranská panoráma a dunajské ramená. Na titulnom liste panoráma stredoslovenských hôr.
Podrobnejšie texty k snímkam na stranách 234–238.

Vydala akciová spoločnosť ARTTEP, Stupava. Prvé vydanie. Náklad 30 000.
Počet strán 240. Vytlačila Tlačiareň Neografia, štátny podnik, Martin.

ISBN 80-85359-00-6

POZVANIE

Ako obrovský luk sa klenie veľký karpatský oblúk uprostred Európy – jeho tetivou je Dunaj. Hradba zreťazených pohorí a pod nimi rozľahlá Karpatská kotlina – jej severozápadnú časť tvorí Slovensko – takmer päťdesiattisíc štvorcových kilometrov zemského povrchu. Vysoké Tatry ho vymedzujú na severe, Dunaj a Ipeľ na juhu.

Na tomto kuse zeme stvorila príroda žičlivé, ba až hýrivé podmienky rastlinám, zvieratám i ľuďom. Na južných pridunajských nivách rozložila pralesné lužné lesy, ukážky najsevernejších džunglí, na Záhorí malú Saharu s migrujúcimi pieskovými dunami, v Slovenskom raji malú Antarktídu – rozprávkové kráľovstvo zimy. A inde skalné mestá, široké doliny a úzke kaňony, tiesňavy a prielomy, krásne v každom ročnom období. V Slovenskom krase desiatky priepastí, podzemie deravé ako ementálsky syr, hučivé vyvieračky, na juhu slaniská, močiare a lesostepi, na severe alpské lúky, skalné hríby, čadičové výlevy dávno vyhasnutých sopiek – dovedna šesť vegetačných stupňov od nížinného po vysokohorský. Hercýnske i alpské vrásnenie tu zanechalo svoje roztancované kamenné letokruhy, horizontálne i vertikálne bohato členený terén. Konečnú kozmetickú úpravu na tvári krajiny má na svojom geologickom svedomí alpínsky orogén, ktorý silne zredukoval tektonický charakter predchádzajúceho dávnoveku a pripravil ho tak na vstup človeka, i na to, aby mal kde vnoriť svoj neolitický pluh.

Horotvorné procesy iba na vrchole Veľkého karpatského oblúka zdvihli päťdesiat kubických kilometrov žúl až po hranicu večného snehu. V strednej Európe tak navŕšili svoju vlastnú dominantu, navyše kombinovanú s vápencami, usadeninami dávnych morí, ktoré tu odšumeli časť večnosti. A nás dodnes blaží intuitívna i vedomá radosť, že čas ich ešte nestihol znížiť na náhornú plošinu, že v ich dolinách sú ešte stále i treťohorné relikty – rýchlonohé vysokohorské antilopy nazývané kamzíky, aj svište, ktoré sa kedysi lovili pre liečivé sadlo. Tu ešte možno vidieť majestátneho orla i z dôb ľadových pochádzajúcu orešnicu perlavú, ktorá stále úspešne vysadzuje treťohorné limby vysoko nad hranicou lesa. Vôkol nádherná kvetena taktiež s pamiatkami na predchádzajúcu geologickú dobu. A všade sviežosť, žulové strminy, vápencové steny i ticho rozľahlých severných dolín. Množstvo zreťazených pohorí – a každé iné. Strážovské vrchy sú lokalitou s najväčším výskytom orchideí v Európe, sopečné pohoria núkajú svojrázny sortiment vrátane impozantnej kaldery – priehlbiny na Poľane, iné ponúkajú hýrivo krásne jaskyne, ale i také, ktoré majú trvalé miesto v dejinách človeka.

Významné kontinentálne rozvodie – severná hranica viniča, jedlého gaštana a ďalších rastlín. Z vyše tritisíc druhov rastlín je skoro tisíc machorastov. Viaceré pochádzajú z panónskej oblasti, iné majú pôvod východokarpatský a či balkánsky, botanik poľahky objaví i zelených privandrovalcov zo severu. Ozajstné krížne cesty živočíchov, rastlín, ľudí. Nik nezráta etnické skupiny, ktoré tadiaľto prešli a ktoré tu objavili svoj dočasný domov. Našli veru v tejto krajine zaľúbenie premnohí a po mnohých v nej zostali výrečné stupaje.

Kamenár vylomí z travertínovej kopy v Gánovciach pri Poprade mozgový výliatok mladého neandertálca, ktorý sa pred stopäťdesiatimi tisícmi rokov utopil v termálnom jazierku, a rybár na Váhu si v štrkovej terase všimne čeľusť neandertálky. Obidva nálezy zvestovali zvesť základného významu: dá sa tu žiť.

Od úsvitu štvrtohôr tu horeli vatry, pri ktorých sa hrial a do neznámej budúcnosti hľadieval náš predchodca. Najprv zberač, potom lovec, až s ním prichádza aj umelec. Magdaliensky lovec sobov a koní z mamutoviny, vtedy ešte nefosilizovanej, strúha sošku moravianskej Venuše (ktorá sa načas zatúla až do Múzea človeka v Paríži), a v podzemí Slovenského krasu dávny čarodej s jeleňou maskou na tvári tancuje magické tance. A Magna Mater, veľká matka z Nitrianskeho Hrádku, sadá na svoj hlinený trón a ruky dvíha do gesta, ktoré nevieme prečítať, podobne ako fascinujúca Venuša z Krásna, symbol metamorfoval azda na prvé abstraktné dielo z pravekého Slovenska.

Pred nami defilujú idoly i Venuše z rôznych miest na Slovensku, šperky i zbrane, keramika, urny s popolom dávnych ľudí, ale i poklady, ktoré ľudia ukryli v zemi, lebo v tiesnivých chvíľach zemi vždy dôverujú. Hľadajme zmysel týchto materiálnych artefaktov, povýšme ich na čarovné amulety – cez ne sa aspoň na okamih vieme trochu vcítiť do myslenia našich dávnych predchodcov.

Čas vytrvalo a neúnavne tečie jedným smerom. Nehlučne sa dotýka vecí, ľudí, krajiny; hlodá, stavia, búra, tvorí, rieky vrezáva do náhorných plošín, ukladá svoje aluviálne naplaveniny. Dvanásťmetrovú vrstvu spraše nafúka na ohniská dávnych ľudí. Slavkovský štít, kedysi najvyšší končiar Vysokých Tatier, v dramatickej chvíli burácajúco zníži o tristo metrov. Hlbiny zeme pretkáva minerálnymi a liečivými vodami, ktoré sa v tisíckach žriedel predierajú na povrch. Vo vrstvách usadených vápencov a dolomitov buduje kvapľové chrámy, čarokrásne siene, bludiská i priepasti, kvapka po kvapke, minúty, roky, veky. Tak stvorí Domicu, unikátne sídlisko ľudí bukovohorskej kultúry, vyhlodá a vyzdobí vyše dvadsať kilometrov dlhú sústavu Demänovských jaskýň, v ktorých sa od krásy farieb i tvarov priam tají dych.

Dunaj, veľká aorta Európy, vrství naplaveniny v Podunajskej nížine, stavia krajinu podľa svojej mokrej urbanistiky a jej štrkové podzemie dotransportované z Álp napája vodou ako špongiu, sťaby pamätal na smäd budúcich generácií. Na severnom Slovensku v Oravskej Polhore i na juhu v jódovo-brómových kúpeľoch Číž zas uchováva presolené vody pravekého mora a v Kysuckých Beskydách v Turzovke-Korni si cestu z hlbín na povrch prebíja jediný prírodný vývery ropy v strednej Európe.

Sopky posledný raz vyliali žeravú magmu do zelenej prírody, ich magmatické kozuby upomínajúce na mladosť Zeme nenávratne vyhasli. Vetry dofúkali sprašové náveje budúcej Trnavskej tabule a stvorili tak úrodnú šancu roľníkovi. Ľadovce dopísali svoje kaligrafické driapance na chrbtoch tatranských žúl a na záhorských piesčitých dunách začali klíčiť zelenohlavé borovice...

V hlbinách zeme už bolo navrstvené nerastné bohatstvo – zlato i striebro, meď i železo, ortuť i antimón, travertín i mramor, soľ i magnezit; vo vrchoch, ktoré neskôr nazvú Slánskymi, aj iskrivý drahokam ohnivý opál. A tak ako zem vrstvila svoje letokruhy, aj v pamäti ľudu sa vrstvila skúsenosť kvitnúca do múdrosti. Striedajú sa kmene, kultúry, obdobia. Ľud popolnicových polí a ľud zvoncových pohárov. Ľud volútovej keramiky a ľud východoslovenských mohýl. Ľud maľovanej keramiky a ľud gemerskej lineárnej keramiky. Kultúra lužická, gávska, polinská, velatická, čakanská, púchovská. Vpád tráckych skupín a keltská expanzia, Kotíni, Kvádi, Markomani, Góti a Longobardi – výpočet zďaleka neúplný.

História sa spletá, zauzľuje, jedna kultúra ovplyvňuje druhú. Ponad krajinu prešumel paleolit, uplynul neolit i jeho revolúcia, pominula sa doba bronzová a nastáva doba rímska. Aj z nej máme na Slovensku veľa pamiatok. Limes Romanus – pohraničné opevnenia Rímskej ríše. Náhrobné stély. Slávny nápis na trenčianskej skale, kde Rimania dosiahli najsevernejší bod svojej expanzie. Napokon aj prvá kniha napísaná zhodou historických okolností na brehu Hrona, tej krásnej rieky, čo si svoj názov uchovala z pradávna; názov knihy: Hovory k sebe samému; autor: rímsky cisár Marcus Aurelius.

Geologická i historická scéna je už pripravená. Naši slovienski prapredkovia už prenikajú cez priesmyky a údolia riek do krajiny, ktorej časť vari o tisíc rokov prv zakreslil na mapu Grék Anaximandros a po ňom i Claudios Ptolemaios. Tromi prúdmi sa vlievali naši predchodcovia do Karpatskej kotliny. Krajina s dostatkom tepla i vlahy, chránená hradbou hôr, proti studenému severu, ponúkala všetko, čo mala – čisté vody v jazerách a prameňoch, rybnaté i splavné rieky, hory plné zveriny, hojnosť dreva i kameňa a úrodnú čiernozem a hnedozem. Sťahovanie národov sa završuje a my sa tu natrvalo usadzujeme, aby sme vo svojej novej vlasti získali domovské právo. Sme lovcami i pastiermi, roľníkmi i remeselníkmi. Staviame zrubové chalupy, palisády, opevnené hradiská. Strážime priesmyky a prievaly, orieme, kopeme rudy, tavíme kovy, kujeme, tkáme. Remeselnú zručnosť snúbime s krasocitom, ako nás presviedčajú veľkomoravské šperky z čias pred príchodom viero- a písmozvestcov Cyrila a Metoda i po ňom. Sú svedectvom ovládania celého radu kovorobných techník až po vrcholnú – zlatnícku a striebornícku.

Ak sme do svojej novej vlasti naozaj prišli zo šírošírych východných stepí, museli sme najprv vrastať do krajiny, aby sme neskôr – už ňou pozmenení – vyrastali priamo z nej. Z nej sme tisícerými kapilárami nasávali jej prapodstatu. Vstrebávali sme do seba geologickú mladosť územia i dedičstvo generácií, vkladali do svojich génov, do našej slovanskej, slovienskej i slovenskej mladosti, aby sa znovu vracala do našich myšlienok, túžob, snov, ale najmä činov.

Po oboch brehoch riek plúžime nivy, staviame polozemnice i staroslovienske baziliky, stredoveké mestá, románske kostoly, reťaze strážnych hradov, renesančné i barokové kaštiele, gotické dómy, v ktorých priestor triumfuje nad románskou ťarchou kameňa. Prepájame doliny i rieky pradivom ciest nadväzujúcich na tie prastaré, vrátane Soľnej cesty na východe a Jantárovej na západe. Kujeme, tkáme, vyšívame. Vždy znovu a znovu zveľaďujeme. Tak ako po vpáde Tatárov – Mongolov, tak ako po poldruhastoročnom tureckom panstve nad južnejšou časťou Slovenska. A každý vpád, každá kataklizma nás materiálne ochudobňuje o časť kultúrneho dedičstva stvárneného v artefaktoch. Zažijeme taký čas, že naša vlasť sa na svetovej produkcii zlata podieľala celou tretinou a na produkcii striebra rovnou polovicou; lenže oba drahokovy rýchlo odtiekli za naše hranice. Vdova po kráľovi Karolovi Róbertovi odviezla od nás do rodného Neapola 27 000 hrivien rýdzeho striebra a 21 000 hrivien rýdzeho zlata, na dôvažok ešte aj pol suda kremnických florénov. Bolo to obrovské množstvo: predstavovalo šesťročnú ťažbu uhorských baní a dvojročnú ťažbu zlata celého známeho sveta. Tisíce krásnych opálov zo Slánskych vrchov smerovalo do Budapešti a Viedne, ba ani najkrajší svetoznámy opál Harlekýn, až do objavu austrálskych opálových baní najväčší a najkrajší opál na svete, nezostal vo svojej materskej krajine. Primnoho hodnôt (a nielen materiálnych) rozrumili a spustošili vpády, protifeudálne povstania, vojny, čo sa krajinou prehnali. A my dosiaľ nemáme ani len bilanciu všetkého cenného, o čo sme zväčša cudzou, ale zavše i vlastnou vinou prišli.

Kostra opočloveka s mláďaťom z nováckych lignitov. Rytina na kosti stvárnenej do podoby koňa kertaga z jaskyne Pec. Detský zub predvekého človeka z Deravej skaly. Dreveníćka lebka neandertálca. Gotické oltáre a zlaté kódexy. Veľkomoravský meč nájdený v Blatnici. Vzácna cirkevná literatúra. Unikátna hipologická knižnica z Lehníc. V koži a zlate viazané knihy v španielčine zo Starej Ľubovne. Obrazy Rembrandta. Zlaté monštrancie a ikony. A iné cennosti a historické kuriozity, akou bola ebenová kolíska v Gabčíkove, v ktorej vykolísali Jozefa II., prezývaného „klobúkový kráľ“.

A už iba úchytkom zopár zmienok o tvorivej sile umu a rúk nášho človeka. Spišský travertín povýšila na Spišský hrad, najväčší hrad v našej vlasti. Pieskovec zdvihla do strmej gotiky v Dóme sv. Alžbety v Košiciach, v Dóme sv. Jakuba v Levoči a v Dóme sv. Martina v Bratislave, kde korunovali uhorských kráľov a kráľovné v čase tureckej expanzie. Staré vyzreté lipy na najvyšší gotický oltár na svete v diele Majstra Pavla z Levoče. Zlato na šperky a monštrancie a kremnické florény a dukáty rozkotúľané po celom svete. Meď na neolitické sekery i elektrické pradivá spojov. Železo z Rudnian hoci na gitarovú súpravu lán, na ktorých visí jeden z bratislavských mostov. Drevo na plastiky, sklo na sklenené veľkomoravské korály, ale i na Petzvalov objektív (jeden kráter na Mesiaci je pomenovaný Petzvalovým menom).

A ako sa nezmieniť o ľudových remeslách, o storakých výrobkoch pre úžitok i potešenie? Ako nespomenúť sugestívnu mágiu i naše rozprávky a piesne, v ktorých sa akoby v zrkadle čistej horskej studienky zračí široké rozpätie snov a citov, túžob i vášní, smútkov a radostí, nezdolná vitalita ľudu, dediča a pokračovateľa všetkých, ktorí sa v Karpatskej kotline vystriedali?

Devätnásť stolíc – orgánov zemianskej samosprávy, devätnásť regiónov, územných historických celkov:

Abovská, Bratislavská, Gemerská, Hontianska, Komárňanská, Liptovská, Nitrianska, Novohradská, Oravská, Ostrihomská, Spišská, Šarišská, Tekovská, Trenčianska, Turčianska, Turnianska, Užská, Zemplínska, Zvolenská.

Každý kraj iný, každý inak krásny, každý pre mnohých-premnohých ten najdrahší.

Zlatá kniha Slovenska ponúka okienko tvorené prizmou fotografického aparátu, cez ktoré môžeme nazrieť na necelých päťdesiattisíc štvorcových kilometrov Európy. Dvestodevätnásť pohľadov na prírodu a človeka stále v nej prítomného svojím dielom. Pohľady na minulosť i prítomnosť Slovenska – našej vlasti, do ktorej sme vrastení ako zlaté zrnká v kremnickom kremeni.

Vladimír Ferko

Rímske mince

Keltský nánožný krúžok

Byzantský poklad

Veľkomoravské šperky

Blatnický meč

Hrad Devín

Nitriansky hrad

Kostolík v Kostoľanoch pod Tríbečom ▷

NEPREHĽADNÉ LETOKRUHY ČASU.

Sotva sa skončilo-neskončilo stvorenie sveta, už naň človek vrúbi svoje štepy, už dotykom umu a rúk poznačuje surovú hmotu i tvár krajiny.

Raz je to zlato prizvané na oslavu pôvabu ženy, inokedy zas murivo na iný klenot – predrománsky kostolík z Kostolian pod Tríbečom...

Stopy človeka zapísané v hline i dreve, v kove i kameni, v slove i duši domoviny.

10–11

Rezavka aloovitá (Stratiotes aloides)

Klenoty termálneho jazierka
▷

Drop veľký (Otis tarda)
Korytnačka močiarna (Emys orbicularis)
◁

Slovenské lodenice v Komárne
Mlyn na Malom Dunaji
Klasy Podunajskej nížiny ▷

Malokarpatské vinohrady

Družstvo ľudovej majoliky v Modre

Vinohradnícky rok – na kachličkách

▷

REGULOVKA
SADENIE
ZATÍKANIE ŠTEKOV
STRIHAČKA
KOPAČKA
ŠKRABAČKA
VIAZAČKA
ŠPRICOVKA
SNÍMANIE
HÁJENIE ÚRODY
OBERAČKA
ODVOZ ÚRODY
SLÁVNOSŤ VINOBRANIA
NABÍJANIE PREŠA
PREŠOVKA
STÁČANIE VÍNA
KOŠTOVKA
ŤAHANIE VÍNA
OLDOMÁŠ
VESELICA

REGINÆ
ANGELORUM

Interiér univerzitného kostola v Trnave ◁

Kúpeľný ostrov v Piešťanoch

Jeden z bazénov na Ostrove

Sanatórium Krym v Trenčianskych Tepliciach

Trenčianskoteplický kúpeľný park

Trenčiansky hrad

Beckovský hrad

Bojnický zámok
◁

Muflón obyčajný
(Ovis musimon)

Daniel škvrnitý
(Dama dama)

Kaštieľ
v Topoľčiankach
◁

Zubor európsky (Bison bonasus)

Jazvec lesný (Meles meles)

Chránená krajinná oblasť Biele Karpaty ▷

Súľovské vrchy

Hrad Červený Kameň: celok
a Salla terrena

Kaštieľ v Bytči

Kaštieľ v Antole, interiér
▷

Múzeum ľudovej architektúry Oravy v Zuberci ▷

Národný park Malá Fatra (32–38)

Kaňon Tiesňavy

Veľký Rozsutec

Črievičník papučkový
(Cypripedium calceolus)

Horcokvet Clusiov (Gentiana clusii)

Všivec Oederov (Pedicularis oederi)

Poniklec slovenský (Pulsatilla slavica)

Bocian čierny (Ciconia nigra)

Kuvičok vrabčí (Glaucidium passerinum)

Rys ostrovid (Lynx lynx)

Kuna lesná (Martes martes)

Podbiel a Vlkolínec

Babia hora

Vodná nádrž Orava

Oravský hrad
◁

Hrad Strečno

48–49

Plesnivec alpínsky (Leontopodium alpinum)

Skalnica horská (Sempervivum montanum)

Sviňa divá (Sus scrofa)

Medveď hnedý (Ursus arctos)

Chránená krajinná oblasť Veľká Fatra (53–57)

Rakytov ▷

Čierny kameň

Gaderská dolina ▷

54–55

Krížna

Chránená krajinná oblasť Slovenské rudohorie (58–63)

Klenovský Vepor

Kečovské škrapy

Dobročský prales

Hríb bronzový (Boletus aereus)

Zádielska dolina

Ochtinská aragonitová jaskyňa

Jaskyňa Domica
▷

Vodná nádrž Liptovská Mara

62–63

64–65 ▷ ▷

Areál vodných športov v Liptovskom Mikuláši

Liptovský Svätý Kríž, kostol z Paludze

Festival vo Východnej

Pakrálik alpínsky tatranský (Leucanthemopsis alpina subsp. tatrae)

Astra alpínska (Aster alpinus)

Pôtik kapcavý (Aegolius funereus) ▷

Hlucháň obyčajný (Tetrao urogallus) ▷

Národný park Nízke Tatry (72–80)

Ďumbier

Chopok

9
TATRAPOMA

V Jasnej
◁

Ohnište

Lomnistá dolina

76–77

Demänovská jaskyňa Slobody

Veľká cena Demänovských jaskýň

Vrchol Kráľovej hole

Soldanelka karpatská
(Soldanella carpatica)

Silenka bezbyľová
(Silene acaulis)

Jeleň európsky
(Cervus elaphus)

82–83

Zvolenský zámok
◁

Banská Štiavnica
◁

Kremnica

Banská Bystrica: panoráma; námestie SNP

Čičmany: architektúra;
fašiangové zvyky

Špania Dolina
◁

Šafran spišský (Crocus scepuensis)

Sokol rároh (Falco cherrug) ▷

Kamzičník chlpatý (Doronicum styriacum)

Orol skalný (Aquila chrysaëtus) ▷

Národný park Slovenský raj (92–96)

Prielom Hornádu

Misové vodopády

Veľký Sokol

Tomášovský výhľad

Dobšinská ľadová jaskyňa

Rumenica turnianska (Onosima tornense)

Kandík psí zub (Erythronium dens-canis)

Levoča: radnica; dielo Majstra Pavla; maľovaná tabuľa

102–103 · 104–105 ▷ ▷

ALTARE SANCTI IACOBI MAIORIS

Hutník a sklár

Vyšné Ružbachy

Bardejovské Kúpele

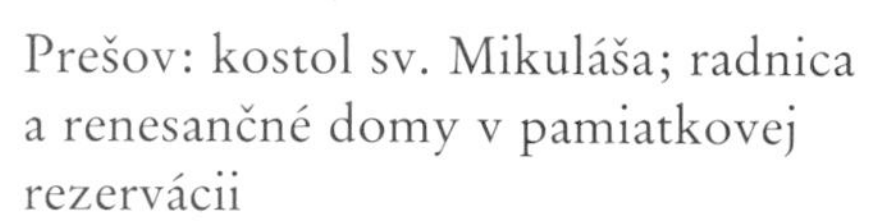

Prešov: kostol sv. Mikuláša; radnica a renesančné domy v pamiatkovej rezervácii

Chránená krajinná oblasť Vihorlat

Vstavač májový
(Orchis majalis)

Vachta trojlistá
(Menyanthes trifoliata)

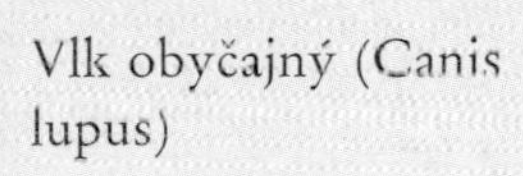

Vydra riečna (Lutra lutra)

Vlk obyčajný (Canis lupus)

Bardejov

Zemplínska šírava

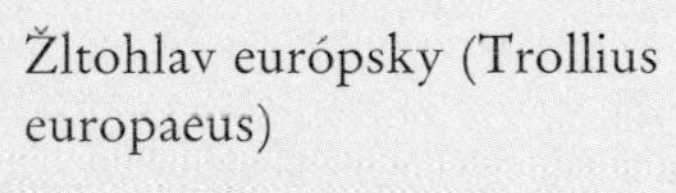

Žltohlav európsky (Trollius europaeus)

Ruža ovisnutá (Rosa pendulina)

Tatranský národný park (128–149)

Gerlachovský štít

Medzi nebom a štítmi
▷

Kriváň
▷ ▷

Štrbské pleso
◁

Vodopády Veľkého Studeného potoka

8

Spoje na Skalnaté Pleso
◁

Skalnatá dolina

Pstruh potočný (Salmo trutta trutta morpha fario)

Malá Studená dolina
▷

Ždiarsky svojráz

Roháčske pleso

Západné Tatry
▷

Kúpele Štrbské Pleso

Kúpele Nový Smokovec

Lyžiarsky areál na Štrbskom Plese

Detská lyžiarska škola

Kamzík vrchovský tatranský (Rupicapra rupicapra tatrica)

Svišť vrchovský tatranský (Marmota marmota tatrica)

Borovica limbová – limba (Pinus cembra)

Brusnica obyčajná (Vaccinum vitis – idaea)

Bratislavský hrad
◁

SNM, Hrad, gotické umenie

Dóm sv. Martina

Hlavný oltár v dóme
▷

158–159

Korunovačná medaila

Univerzitná knižnica
▷

160–161

Vináreň
pod
Baštou

Baštová ulica
◁

Mestská radnica

Primaciálny palác

Dom U dobrého pastiera
▷

BEBLAVÉHO

Evanjelické lýceum

Reduta

Na radničnej veži

Slovenské národné divadlo

Slovenská národná galéria
Slovenský rozhlas
◁

Židovský cintorín

Mlynská dolina

Kamenné námestie

Námestie SNP

Zimný prístav

Slovnaft

Cez letokruhy času už jasná prievidza.
Hmly zredli, šerosvit vekov ustúpil.
Už poznáme skoro všetky tváre významných dejateľov, už vidíme ich historické činy, ktoré nás voviedli do prítomnosti kótovanej čierťažou tretieho tisícročia.

Uhrovec, rodný dom Ľ. Štúra

Myjava, pamätný dom a múzeum SNR meruôsmeho roku

Mohyla M. R. Štefánika na Bradle

Pomník M. Kukučína

Pomník P. O. Hviezdoslava

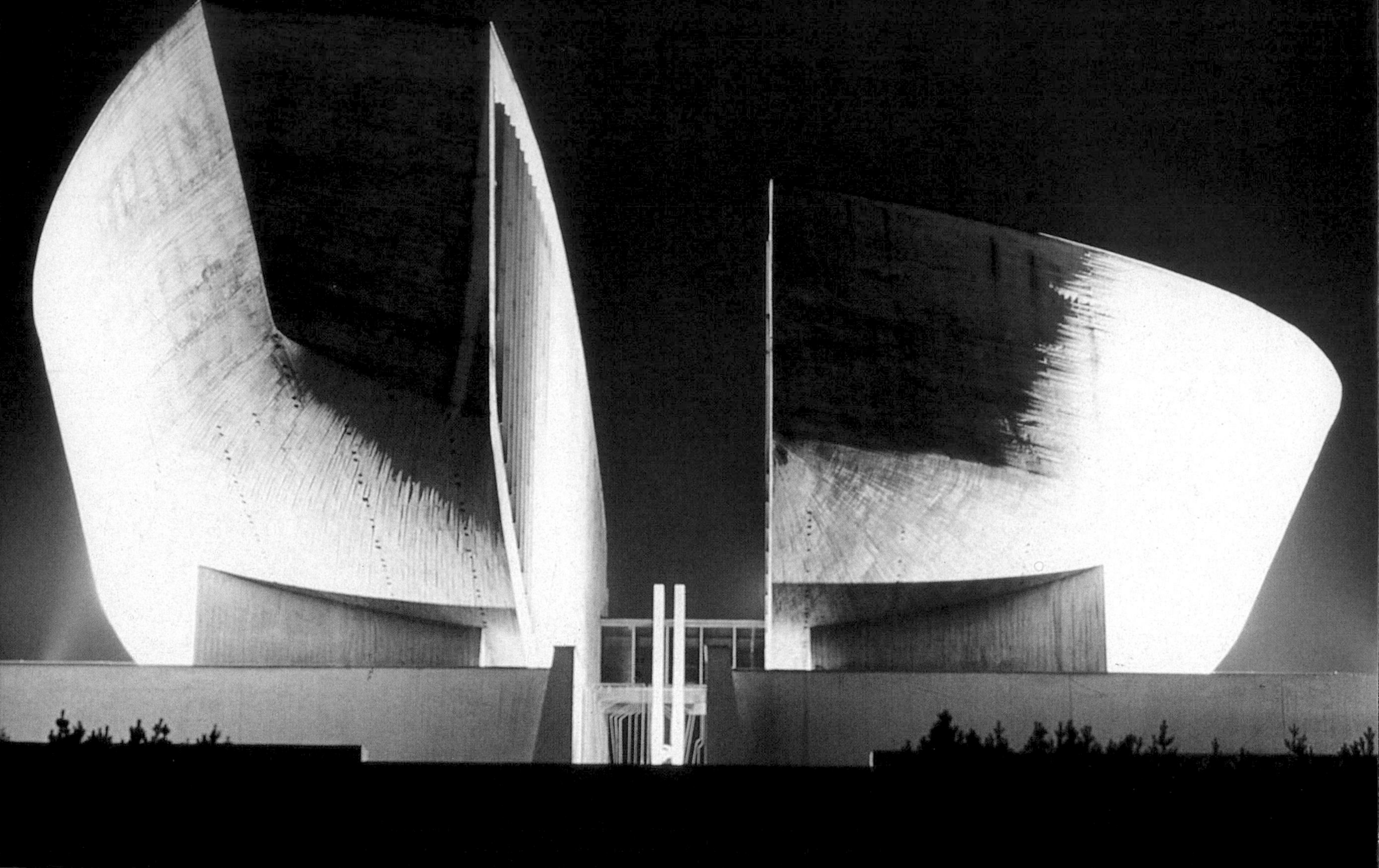

Pamätník a múzeum SNP v Banskej Bystrici

Pamätník v areáli Dukelského bojiska

Pomník V. Clementisa v Tisovci

Bratislava, november 1989 ▷

186–187

Hainburg, december 1989

188–189

ZLATÁ KNIHA SLOVENSKA
THE GOLDEN BOOK OF SLOVAKIA
LE LIVRE D'OR DE LA SLOVAQUIE
DAS GOLDENE BUCH DER SLOWAKEI
IL LIBRO D'ORO DELLA SLOVACCHIA
LIBRO DE ORO DE ESLOVAQUIA
ЗОЛОТАЯ КНИГА СЛОВАКИИ

THE GOLDEN BOOK OF SLOVAKIA

AN INVITATION

The Grand Carpathian Arch vaults like a huge bow in the centre of Europe – the Danube being its bowstring. The wall of chain-like mountain ranges and the large Carpathian Basin – its northwestern part is Slovakia – almost fifty thousand square kilometres (twenty thousand square miles) of Earth's surface. In the north Slovakia is marked by an alpine mountain range – the High Tatras and in the south by the rivers Danube and Ipeľ.

In this piece of land Mother Nature created favourable conditions to plants, animals and men. She placed untouched forests that resemble northernmost jungles on the Danube banks, a small Sahara with migrating sand dunes in the southwestern part of the Záhorie Region and a fairy-tale-like kingdom of winter in the Slovenský raj National Park. At other places she created rock formations, wide valleys and narrow gorges, that are beautiful in each part of the year. In the Slovenský kras Mountain Range she formed dozens of crevices, holes in the underground like in a Swiss cheese, rumbling wells and scrubs, marshes and moors in the south, alpine meadows, rock mushrooms and basalt discharge of the ancient volcanos in the north – altogether six vegetation zones reaching from lowlands to alpine countryside. Mountain forming processes have left here their passionate arabesques, the horizontally and vertically manifold countryside. The final geological touch gave the land the alpine orogeny, that strongly reduced the tectonic character of the preceeding era and prepared it to the occurance of man and to his need to dip his neolithic plough.

On the top of the Grand Carpathian Arch orogenic processes lifted fifty cubic kilometres of granite up to the zone of eternal snow. Thus they created its own dominant in Central Europe, which was combined with limestones, the sediments of ancient seas, that fizzled here a part of eternity. A man still rejoices at the intuitive and also conscious thought, that time did not manage to lower them into a plateau yet, that their valleys still offer shelter to trias relics, namely the quick alpine antilopes called chamois and to marmots, that, long ago, were hunted for their healing grease. Here, one can still spot the stately eagle and a kind of bird that plants the trias pine high above the forest zone. All around a beautiful flora with relics of the preceeding geologic era. Everywhere liveliness, granite steep rocks, limestone walls and the quiet of the large northern valleys. A number of chain-like mountain ranges and each of them different. The Strážovské vrchy Mountains are the place with the most abundant occurance of orchids in Europe, the volcanic ranges show unique phenomena including imposing caldera at Mount Poľana, others have caves of ravishing beauty, but also of lasting significance in the history of man.

Slovakia is an important continental watershed and the northern border of the wine yards, the edible chestnut and further plants. A thousand of almost three thousand kinds of plants growing here are mosses. Several of them have their home in the Pannonian region, others originate from the East Carpathian region or the Balkan and a botanist would easily identify also the green immigrants from the North. The land is a real crossroad of animals, plants and people. The ethnic groups that passed by and found here their temporary home could hardly be counted. They liked this country and many of them left in it their traces.

From a travertine heap at Gánovce near the High Tatras a stone cutter breaks off the inside of a skull that belonged to a young Neanderthal man who was drowned in a thermal lake a hundred and fifty thousand years ago and a fisherman notices in the gravel terrace of the Váh River the jaw of a Neanderthal woman. Both finds announced news of crucial importance: one could live here.

In the Early Stone Age a mother burries her child in a cave called Deravá skala in the Small Carpathians and covers it with a piece of copper plate... An ancient hunter forms a tusk of a mammoth (at that time still not fossilized) into a small statue of a Venus of Moravany (it will spend part of its existence at the Museum of Mankind in Paris) and in the caves of the Slovenský kras Mountains an ancient magician dances his magic dances with a deer mask on his face. The Great Mother, Magna Mater of Nitriansky Hrádok, sits down on her clay throne and lifts her hands in a gesture of adoration, similar the Venus of Krásno, the masterpiece (and, strangely enough, already an abstract work of art) of the ancient Slovakia.

In Slovakia we see idols and Venuses of various places, jewels and arms, ceramics, urns with ashes of ancient people, but also treasures that were hidden in the soil, because people always trust soil in hard times. Let us search for the sense of these material artefacts and let us regard them as magic amulets – through them we are able, at least for a moment, to feel like the ancestors of the people of this country did.

Untiring time persistently flows in one direction. Without a sound it touches things, people and the country: it gnaws, builts, demolishes, creates, lets rivers be cut into plateaus, deposits its alluvial soil. It spreads the twelve metres (fourty feet) thick layer of fertile soil on the fireplaces of ancient people. The Slavkovský štít Peak, once the highest peak of the High Tatras, becomes lower by three hundred metres (a thousand feet) in a dramatic moment. Time drenches deep layers of the earth with mineral and curative waters that push their way to the surface in thousands of wells and springs. In the layers of limestone and dolomite sediments it creates stalactite and stalagmite temples, ravishing halls, labyrinths and crevices, drop after drop, minutes, years, ages. Thus it shapes the Domica Cave, a unique settlement of the ancient people, gnaws and embellishes the almost twenty kilometres (thirteen miles) long system of the Demänovské jaskyne Caves, where the beauty of colours and shapes is really breathtaking. The alluvial soil in the Podunajská nížina Lowlands soak water like a sponge, as if time would calculate with thirsty future generations. In the underground of the iodobromide Číž Spa and at Oravská Polhora the salty waters of an ancient sea are preserved and at Turzovka-Korňa in the northwest of Slovakia we even now can fill a bottle of reddish crude oil from its only natural occurence in Central Europe.

The volcanoes poured their hot magma onto the green for the last time. The winds stopped blowing the fertile soil onto the future Trnavská tabuľa Lowlands. The glaciers made their last scratches on the Tatra granites, and pines began to sprout on the sand dunes of the Záhorie Region.

The inside of the earth was already hiding the wealth of minerals – gold and silver, copper and iron, mercury and antimony, travertine and marble, salt and magnesium; in the mountain range later called Slanské vrchy also opal, a sparkling precious stone. Similarly as the Earth has stratified its annual rings, the memory of people has stratified their opinion that turned into wisdom. Tribes, cultures and periods succeeded one another. History becomes intricate, one culture influences the other. The country had experienced the periods of Paleolith and Neolith with its revolution, the Bronze Age had passed and the Roman era came. Many relics and documents of this period have been preserved. Limes Romanus – the border fortification of the Roman Empire, grave stones, the famous inscription on the rock in Trenčín, where the Romans reached the northernmost point of their expansion, and finally the first book, written on the bank of the Hron, a beautiful river, that has preserved its name from the remote times, entitled The Soliloquies by the Roman Emperor Marcus Aurelius.

The geological and historical setting is ready. The Slavonic ancestors of the Slovak nation of today have already penetrated through the passes and river valleys to a land, a part of which, about a thousand years earlier, had been marked in a map by the Greek Anaximander and later by Claudius Ptolemy. The predecesors of the Slovak people came to the Carpathian Basin in three streams. The country had enough warmth and water. Protected by a wall of mountain ranges against the cold northern wind it offered all it had to offer – clean water in lakes and wells, navigable rivers full of fish, forests full of animals, abundance of wood and stone, fertile black and brown soil. The mass migration is completed and the great-grandparents of the inhabitants of today's Slovakia settle down here forever to gain the right of domicile in their new country. They are hunters, shepherds, farmers and artisans. They build block houses, make palisades and fortified settlements. They guard the passes and roads on hills, they plough, mine ores, melt metals, work as blacksmiths and weavers. They fuse their skill with a sense of beauty, which can be proved by the Great Moravian jewels from times of arrival of the two missionaries, St Cyril and St Methodius, who preached Christ's gospel and invented an alphabet. These jewels show that their authors mastered all kinds of metal-processing techniques including the most demanding: treating gold and silver.

If they really were to move into their new country from the vast eastern steppes, they had first to become a part of this new country, so that, later, already changed by it, they could grow directly out of it. Through a thousand capillaries they soaked its true essence. They absorbed the geological youth of the land as well as the heritage of generations, they put it into their genes, into their Slavonic and Slovak youth, to let it penetrate their thoughts, wishes, dreams, but above all their deeds.

On both banks of the rivers they cultivate soil, build simple dwelling cabins, but also ancient Slavonic basilicas, medieval towns, Romanesque churches, chains of watch-castles, castles and manor houses from the Renaissance and Baroque, Gothic cathedrals, letting the space triumph over the heaviness of the Romanesque stone. They link valleys and rivers by roads resuming the ancient ones, including the Salt Road in the east and the Amber Road in the west. They work as blacksmiths, weavers and make embroideries. Again and again they perfect the land, as after the Tatar-Mongolinan raids, as after a hundred and fifty years of Turkish reign over the southern part of Slovakia. Each of the invasions, each cataclysm deprives them materially of a part of their cultural heritage in artefacts. They will live a time when their country shared one third of the world production of gold and a half of the world production of silver. Yet, both precious metals quickly got abroad. The widow of king Charles Robert took from Slovakia to her native Naples twenty-seven thousands talents of pure silver and twenty-one thousand talents of pure gold; in addition to it a half of a barrel of guilders from Kremnica. This was immense wealth, representing the six-year-production of all Hungarian mines and the two-year-gold-production in the whole known world. Thousands of beautiful opals from the Slánske vrchy Mountains were destined for Budapest and Vienna and even the most splendid world known opal called Harlequin, that was untill the discovery of the opal mines in Australia the biggest and the most beautiful in the world, did not stay in its mother country. Too many values (not only material ones), were demolished and destroyed by invasions, anti-feudal upheavals that the country experienced. The Slovak nation still misses a balance-sheet of all values it was deprived of mostly due to somebody else's, but sometimes to his own fault.

A skeleton of a human ape with its young from the lignites found near Nováky. A cut on a bone shaped into a horse from the cave called Pec. A primitive man child's tooth found in a cave called Deravá skala. A skull of a Neanderthal man from a cave in the Dreveník Mountain. Gothic altars and golden codices. Precious religious literature. A unique horse-breeding library from Lehnice with books bound in leather and gold. Bound books in Spanish from Stará Ľubovňa. Rembrandt's paintings. Golden monstrances and icons and other priceless things, peculiar historical objects like the ebony cradle from Gabčíkovo, in which the Emperor Joseph II, nicknamed „the hat king“ was rocked.

Last but not least some more examples of the creative power of the brain and hands of the people living in this country. They advanced the travertine of the Spiš Region into the Spišský hrad Castle, the largest in this country, they elevated the sandstone into the steep Gothics of St Elisabeth's Cathedral in Košice, St James's Cathedral in Levoča and St Martin's Cathedral in Bratislava, where the Hungarian kings and queens were crowned in times of the Turkish expansion. They used old and matured lime wood for the highest Gothic altar of the world, the work of Master Paul of Levoča, gold for jewelery, monstrances, florins and ducats that rolled away to the whole world. They needed copper for Neolithic axes and electric wires, iron from Rudňany they processed into a set of guitar string-like cables, on which one of the Bratislava bridges is hung. They shaped wood into statues and used glass for the Great Moravian beads, but also for Petzval's objective (one of the Moon's craters is given Petzval's name).

We should neither omit folk art products, the hundred kinds of things to please and to be used, nor the folk tales and songs, that, like a mirror-clear mountain spring, reflect the wide range of dreams and feelings, wishes and passions, sorrows and joys, the invincible vigour of the nation, who is the heir and the follower of all that have ever lived in the Carpathian Basin.

The Golden Book of Slovakia, a small window identical to a camera, enables us to inspect almost fifty thousand square kilometres (twenty thousand square miles) of Europe. Two hundred and twenty views of Nature and Man who is ever-present by his work. The views of past and present Slovakia – a country, indivisible part of which is its nation as the grains of gold are part of the flint of Kremnica.

VLADIMÍR FERKO

The front cover photo shows a panoramic view of the High Tatras, the back cover photo the Bratislava Castle. The end leave photos show the Veľká Studená dolina Valley of the High Tatras and the Danube branches. The title page is a panoramic view of the mountains in Central Slovakia.

7–11

Hazy annual rings of time.

The unfinished creation of the world has barely come to an end, when man started to mark his signs in it; the touch of his hands transforms the raw material and the landscape.

Once it was gold or silver to express the admiration of woman's beauty, other times stone for another jewel – an early Romanesque church at Kostoľany pod Tríbečom...

Traces of man put down in clay, wood, metal and stone, in words and spirit of the native country.

7
A part of the collective find of more than a thousand media of payment used in the Roman Republic and Empire uncovered at Vyškovce nad Ipľom in Southern Slovakia (Slovak National Museum, Bratislava Castle)
7
A Celtic foot ring found among other objects at Palárikovo in Southern Slovakia (Slovak National Museum, Bratislava Castle)
7
Silver coins, jewelery and vessels that belonged to a merchant of Byzantium found at Zemiansky Vrbovok in Central Slovakia (Slovak National Museum, Martin)
7
Earrings, necklaces, buttons, bowls and other objects from the period of Great Moravia found at Ducové in Western Slovakia (Slovak National Museum, Bratislava Castle)
8
The hilt in a grave of a Great Moravian prince at Blatnica in Northern Slovakia (the original is deposited in the Hungarian National Museum in Budapest)
9
Devín, originally an ancient settlement, later a Roman military station, in the 9th century a Great Moravian settlement; the castle was constructed on this site in the 13th century; in recent history it was the destination of national pilgrimages
10
The Nitra Castle, originally a Slavonic Great Moravian settlement; the castle has been built on a rock in the 11th century, the cathedral originated gradually from the 13th to the 17th century
11
The church of St George at Kostoľany pod Tribečom, the first known and completely preserved piece of architecture in Slovakia; it existed obviously already in the 10th century
12
Stratiotes aloides
13
The gems of a thermal lake
14
Otis tarda

Tortoise (Emys orbicularis)
15
The Slovak Shipyards in Komárno

The mill at the Small Danube
16–17
The ears of the Podunajska nižina Lowlands
18
The Small Carpathian vineyards
19
In the cooperative producing majolica and ceramics at Modra

Vinter's year at the majolica glazed tiles from Modra
20
The inside of the University church in Trnava with its main early Baroque altar, created 1637–1640
21
Piešťany, the world renowned spa treating especially joint diseases and accident harms; a panoramic view of the Kúpeľný ostrov Island; a recovery swimming pool at the Esplanade Sanatorium
22
Trenčianske Teplice, a significant spa treating especially joint diseases; the Krym Sanatorium; the Swan Lake in the spa park
23
The Trenčiansky hrad Castle, originally a district castle with a palace and a brick tower, built in the second half of the 13th century; the renewed objects are now exhibition halls

The Beckovský hrad Castle originated at the end of the 12th and at the beginning of the 13th century as a royal border watch castle; it was Gothic with an early Gothic tower; the castle has been rebuilt and its ruins are now conserved

24
The Bojnický zámok Castle started to be built obviously at the end of the 13th century; at the end of the 19th century it was changed into a romantic castle; now it is a museum

The castle of Topoľčianky is a Classicist building with arcades from the 17th century; it has been rebuilt and enlarged; now there is a museum and a convalescent home
25
Moufflon (Ovis musimon)

Fallow-deer (Dama dama)
26
Aurochs (Bison bonasus)

Badger (Meles meles)
27
The White Carpathians, a Landscape Preserve, a mountain range of the Outer Western Carpathians
28
The Súľovské vrchy Mountains, a group of mountains in the Northwestern Slovakia
29
The Červený Kameň Castle, originally a royal castle; written records date back to the 13th century; in the 16th century it was rebuilt into a fortified Renaissance and Baroque castle; now it is a museum; the picture shows an overall view and the Baroque sala terrena
30
The Renaissance castle of Bytča with arcades, built in the 16th century as a fortified feudal residence; the Palace of Marriages is now a museum
31
The Baroque and Classicist castle of Antol built in 1744 as a representative residence; now it houses the Museum of Forest, Wood and Hunting shown in the photo (peculiarity: the architecture of the building corresponds to a year – it has four gates, twelve chimneys, fifty-two rooms and three hundred and sixty-five windows)

The Folk Architecture Museum of the Orava District near Zuberec, on the meadow called Brestová
32-33
The Malá Fatra National Park, a mountain range in the Fatra-Tatra Region

The Tiesňavy Canyon, an impressive entrace into the Vrátna dolina Valley

Mount Veľký Rozsutec, 1 610 m (5 282 ft) above Štefanová
34
Cypripedium calceolus

Gentian (Gentiana clusii)
35
Pedicularis oederi

Pulsatilla slavica
36
Black stork (Ciconia nigra)

Glaucidium passerinum
37
Lynx (Lynx lynx)

Marten (Martes martes)
38
Two reserves of folk architecture: the villages Podbiel and Vlkolínec
39
Mount Babia hora, 1 725 m (5 660 ft), one of the most frequently visited in the Orava District

The Orava Water Reservoir covers an area of more than 35 km^2 (13,5 sq miles) and is one of the popular resorts of sports and tourism
40
The Gothic Orava Castle, founded before 1267, one of the best preserved

castles in Slovakia; the renewed objects serve as a museum and a gallery (peculiarity: eight hundred and eighty steps lead to the citadel)
41
The ruins of the Strečno Castle, built in a narrow space above the river Váh at the beginning of the 14th century; the surroundings of this castle witnessed the fights during the Slovak National Uprising, in which the French partisans played an important role
42
The centre of Žilina; its historical streets and squares are a preserve of sights
43
The main building of Matica slovenská, the traditional national institution founded in 1863 in Martin
44
The National Cemetery in Martin, the place where many important personalities of Slovak history and culture are buried
45
The Gallery of Ľudovít Fulla, a significant Slovak painter, in Ružomberok
46–49
The Institute of Ethnography of the Slovak National Museum in Martin; exhibits showing historical, festive and ceremonial dresses of the Slovak people
50
Edelweiss (Leontopodium alpinum)
51
Sempervivum montanum
52
Wild boar (Sus scrofa)

Brown bear (Ursus arctos)
53–57
Veľká Fatra, a large landscape preserve in the central part of Slovakia
53
Mount Rakytov, 1 567 m (5 141 ft)
54
Mount Čierny kameň, 1 480 m (4 856 ft)
55
The Gaderská dolina Valley
56–57
Mount Krížna, 1 574 m (5 164 ft)

58–63
Slovenské rudohorie, a large landscape preserve in the central part of Slovakia
58
Mount Klenovský Vepor, 1 338 m (4 490 ft)
59
Kečovské škrapy, a rocky steppe with dry-loving plants and animals
60
Dobročský prales, a sample of original forest

Boletus sereus
61
The Zádielska dolina Valley, a narrow canyon with a multi-formed relief
62
The Ochtinská aragonitová jaskyňa Cave, embellished mainly with white aragonite shaped into bunches and clumps
63
The Domica Cave decorated by sinter towers, vessels and lakes
64–65
Liptovská Mara, the water reservoir built on the upper part of the Váh river, covers an area of 27 km^2 (10,5 sq miles)
66
The resort of water sports at Liptovský Mikuláš
67
The biggest of the wooden churches in Slovakia used to stand in Paludza; after it had been flooded by the lake it was moved to Liptovský Svätý Kríž
68
Východná, a village typical for the High Tatras region, became a place of the traditional folk song and dance festival with international participation
69
The programme of the world-known folk ensemble Lúčnica

70
Leucanthemopsis alpina subsp. tatrae

Aster alpinus
71
Aegolius funereus

Tetrao urogallus
72–80
The Low Tatras National Park in the second highest mountain range in Slovakia after the High Tatras
72
The highest peak of the Low Tatras, Ďumbier, 2 043 m (6 703 ft)
73
Chopok, 2 024 m (6 641 ft), owing to chair lifts and a funicular the most visited mountain of the Low Tatras
74
A funicular leading from Jasná to Mount Chopok
75
The rocks of the Ohnište Massif, 1 539 m (5 049 ft)
76–77
The Lomnistá dolina Valley was an important place of fights in the Slovak National Uprising
78
The Demänovská jaskyňa Slobody Cave, the most beautiful and the most visited of the Slovak caves, is distinguished by a number of multishaped and gleaming stalagmites and stalactites; the photo shows the Tree of Life
79
The giant slalom of the Grand Prix of the Demänovské jaskyne Caves, the most traditional skiing competition in Slovakia
80
The top of the legendary Kráľova hoľa Mountain, 1 948 m (6 391 ft)
81
Soldanella carpatica

Silene acaulis
82–83
The european deer (Cervus elaphus)
84
Zvolenský zámok, originally a Gothic royal hunting castle built in the 14th century; after restoration it houses a museum and a gallery

Banská Štiavnica, in times of feudalism a free mining town of European importance, now a municipal preserve; the photo shows the Old Castle, a Renaissance fortress built in the 16th century against the Turks (peculiarity: in 1627 the gunpowder was used for the first time for mining in the local mines)
85
Kremnica, an ancient mining town with a mint-office, where silver, and later gold coins, were minted since 1329; a fortified complex of the municipal castle, dating back to the 14th–15th century; it is now a dominant of the municipal sight preserve
86–87
Banská Bystrica, the metropolis of Central Slovakia, once a free royal town, in 1944 a centre of the Slovak National Uprising; a panoramic view of the town; the historical square of the Slovak National Uprising
88
Špania Dolina, an old mining village in the Starohorské vrchy mountains, a preserve of the folk architecture (peculiarity: in the 16th century a wooden water-main was lead into the village from the Prašivá Massif in the Low Tatras
89
Čičmany, a typical village and a preserve of folk architecture in the Strážovské vrchy Mountains; a wooden house with white outer decoration and one of the Shrovetide folk customs that still survives
90
Crocus (Crocus scepuensis)

Doronicum (Doronicum styriacum)
91
Falcon (Falco cherrung)

Eagle (Aquila chrysaetos)
92–96
The Slovenský raj National Park
92
The canyon valley of the Hornád River with a difference in altitude of more than 300 m (984 ft)
93
The Misové vodopády Waterfalls in the Suchá Belá Valley
94
The Veľký Sokol Canyon
95
The Tomášovský výhľad Rock
96
The Dobšinská ľadová jaskyňa Cave, the largest ice covered cave in Czecho-Slovakia; a view to the Grand Hall (peculiarity: the bottom ice is 25 m (80 ft) thick
97
Onosima tornenese

Erythronum dens-canis
98
Krásna Hôrka, a well preserved Gothic castle founded in the 13th century and later rebuilt, now housing a museum
99
Kežmarok, the municipal castle, originally a Gothic building from the 14th century, now a museum (peculiarity: Lady Beata Laski of the Kežmarok Castle and her companions hiked 1565 in the Dolina Bielej vody Valley in the High Tatras thus starting the history of Tatra mountain tourism)
100–101
The ruins of the Spišský hrad, the largest medieval castle in the territory of Slovakia, built approximately in the 12th century, later several times reconstructed, now housing a museum
102–105
Levoča, a town in the Spiš District, now a preserve of sights: a Renaissance town hall dating back to the first half of the 16th century; the main altar of the Gothic St James's Church, 18,6 m (61 ft) high, the masterpiece of Master Paul, the leading personality of the famous wood carving workshop founded in the 15th century; the painting The Worshipping of the Three Kings on the wing altar Vir dolorum
106–108
The Pieniny National Park in the northwestern part of the Východné Beskydy Mountains
106
The canyon of Dunajec with several meanders
107
The Ostrá skala Rock in the rocky mountains called Haligovské skaly
108
Červený Kláštor, a monastery founded in the 14th century by Carthusian monks
109
Pasque flower (Pulsatilla grandis)

Rhodiola rosca

110–114
Košice, the metropolis of Eastern Slovakia, the second largest town of the Slovak Republic
110
The Gothic St Elisabeth's Cathedral, completed at the beginning of the 16th century
111
The State Theatre in Košice, built at the end of the 19th century
112
A newer residential area of Košice
113
The winners of the International Peace Marathon held in Košice annually since 1924
The winding route of the Okolo Slovenska (Round Slovakia) Cycling Race
114–115
The masters of hot vocations: a smelter at the Košice Iron Works and a glass worker in the Lednické Rovne Glass Works
116
Vyšné Ružbachy, a thermal carbonic spa in the Spišská Magura Mountain Range, known for treatments of nerve and vocational diseases
117
The Bardejovské Kúpele Spa in Northeastern Slovakia treats particularly the intestinal and respiratory diseases
118
Prešov, an old cultural and economic centre of the Šariš District; the town hall and the Renaissance houses in the sights preserve; the Gothic parish church of St Nicholas built in the middle of the 14th century, the Neptune Fountain is seen in the foreground
119
Mount Sninský kameň, 1 005 m (3 234 ft), the beginning of the East-European volcanic arch in the Vihorlat Mountain Range
120
Orchis (Orchis majalis)

Buckbean (Menyanthes trifoliata)
121
Otter (Lutra lutra)

Wulf (Canis lupus)
122–123
Bardejov, the Square of the Slovak National Uprising in the preserve of sights (peculiarity: in 1986 the town was awarded the Europe Price and the Golden Medal for the restoration of sights)
124–125
Samples from the complex of the most important wooden folk architecture in Slovakia – the churches in Eastern Slovakia: in Miroľa, an outside and an inside view, in Jedlinka, an inside view and in Dobroslava, an outside view
126
The Zemplínska šírava Water Reservoir covers about 33,5 km^2 (13 sq miles), it is the most often visited centre of summer sports and recreation in Eastern Slovakia
127
Globe Flower (Trollius europaeus)

Rose (Rosa pendulina)

128–151
The High Tatras, a national park, owing to its natural scenery the most significant region of Czecho-Slovakia and at the same time one of the most important protected landscapes in Europe
128–129
A panoramic view of the only alpine mountain range in Czecho-Slovakia
130
Mount Gerlachovský štít, 2 655 m (8 544 ft), the highest peak of the High Tatras and of Czecho-Slovakia
131
The walls of the High Tatras peaks offer good possibilities for mountaineering
132–133
Mount Kriváň, 2 494 m (8 026 ft), the symbol of freedom for the Slovak people
134
Štrbské pleso, 1 346 m (4 331 ft) above sea level, the most frequently visited lake of the High Tatras
135
The waterfalls of the Studený potok River
136
The funiculars to Skalnaté Pleso, 1 751 m (5 635 ft), one of them continuing to the Lomnický štít Peak, 2 632 m (8 470 ft)
137
The Skalnatá dolina Valley, the site of the highest situated settlement of the High Tatras – Skalnaté Pleso, 1751 m (5 634 ft) above sea level
138
Trout (Salmo trutta trutta morpha fario)
139
The highest part of the Malá Studená dolina Valley with the Malý Studený potok River

140
A panoramic view of the peaks Lomnický štít, 2 632 m (8 470 ft), Kežmarský štít, 2 558 m (8 232 ft) and Huncovský štít, 2 415 m (7 771 ft) in autumn
141–142
The Belianske Tatry Mountains, from the right: mounts Ždiarska vidla, 2 146 m (6 906 ft), Havran, 2 152 m (6 925 ft) and Nový, 1 999 m (6 433 ft); one of the houses of the Folk Architecture and Art Preserve at Ždiar, a typical Slovak village
143–145
The Western Tatras: a panoramic view from the Low Tatras: the Tretie Roháčske pleso Lake, 1 652 m (5 316 ft) above the sea level, one of a group of hollowed out moraine lakes in the Roháčska dolina Valley
146
The Helios Sanatorium at the Štrbské Pleso Spa with a climate healing the respiratory diseases
147
The facilities of the Nový Smokovec Spa with a climate healing the respiratory diseases
148
Sporting facilities at Štrbské Pleso, the place of significant skiing races – the World Championship (1935, 1970), the Winter Universiad (1987), the traditional Tatra Cup and others
149
A children's ski school at Starý Smokovec
150
Chamois (Rupicapra rupicapra tatrica)

Marmot (Marmota marmota tatrica)
151
The Tatra-pine (Pinus cembra)

The red bilberry (Vaccinum vitis-idala)
152
Anemone (Anemone narcissiflora)

Gentian (Gentiana asclepiadea)
153
White Pasque Flower (Pulsatilla alba)

Small Primrose (Primula minima)
154–177
Bratislava, the capital of the Slovak Republic, the seat of the Slovak Parliament, the Slovak Government and of the Slovak political, state, economical, social, cultural and scientific institutions and consulates of foreign countries
154–155
A panoramic view of the Castle and the Danube in the evening
156
The Bratislava Castle, a complex of buildings, the symbol of more than a thousand-year-old-history of the Slovak nation, the seat of national cultural treasury in the exhibits of the Slovak National Museum; some of the rooms of the Castle serve the Slovak Parliament and the president of the Czech and Slovak Federative Republic
157
Exhibition of the Gothic art in Slovakia (the Slovak National Museum at the Bratislava Castle)
158–159
St Martin's Cathedral, a Gothic three nave parish church, the coronation cathedral of the Hungarian rulers, built in the 14th and the 15th century; an outside view and the main altar
160
Matthew Donner: Maria Theresa, the reverse of the Bratislava coronation medal of 1741 (the Slovak National Museum, the Bratislava Castle)
161
The former Palace of the Royal Chamber from the middle of the 18th century; the place of the sessions of the Hungarian Parliament, now housing the University Library
162
The Baštová ulica Lane, one of the oldest and best preserved lanes at the city walls system
163
The front of the Municipal Town Hall with the original Gothic Town Hall Tower from the 14th and the 15th century; in the Middle Ages it was the seat of the municipal administration, now it is the exhibition of the City Museum
164
The Primate's Palace (before its last renewal), a Classicist building built in the years 1777 to 1781 (peculiarity: in the Mirror Hall of this palace a Peace Treaty was signed between the victorius France and the defeated Austria after the Battle of Austerlitz in 1805)
165
A Rococco house At the Good Shepherd's, a true gem of the historical part of Bratislava
166
The building of the historical secondary school which brought up many outstanding representatives of the Slovak intelligentsia, built in 1783
167
Redoute, the concert hall of the Slovak Philharmonic Orchestra, the main concert hall of the Bratislava Music Festival
168
A concert from the Town Hall Tower to open the Bratislava Summer Festival
169
The building of the Slovak National Theatre, built in 1886
170
The building of the Slovak Radio, built a hundred years later
171
The inside of the Slovak National Gallery, the foremost national art collecting institution
172
The Jewish cemetery at the Bratislava Castle Hill
173
Students' village in the Mlynská dolina Valley
174
The centre of Bratislava, the Kamenné námestie Square
175
The centre of Bratislava, the Square of the Slovak National Uprising
176
The Winter Danube Port with the Bridge of the Dukla Heroes in the background
177
The fire and lights of the Slovnaft Oil Refinery
178–189
The annual rings of time show a clear split.
The fog became thin, the dusk of ages withdrew.
We already know almost all of the faces of the significant personalities, we can see their historical deeds that led us into present times marked by the beginning of the third millenium.
179
Uhrovec, the native house of Ľudovít Štúr, a leading personality of the Slovak National Revival (peculiarity: in the same house Alexander Dubček, the leading personality of the new Czecho-Slovak revival, was born a hundred and six years later)
180
Myjava, the memorable house of the Slovak National Council and the headquarters of the Slovak Uprising in the years 1848 and 1849, now a Museum of the Slovak National Council; an outside and an inside view
181
Bradlo, the monument to Milan Rastislav Štefánik, the leading personality of the Czecho-Slovak resistence fight abroad and one of the founders of the Czecho-Slovak state
182
The statue of Martin Kukučín, whose works rank to the best achievements of the Slovak realistic novel, at the Medical Garden in Bratislava
183
The monument to Pavol Országh Hviezdoslav, one of the most prominent personalities of Slovak literature, in the Hviezdoslavovo námestie Square in Bratislava
184
The monument and the Museum of the Slovak National Uprising in Banská Bystrica
185
The monument at Dukla, the scene of bloodshed in the Carpathian-Dukla

Operation during World War II
186
The monument to Vladimír Clementis, a significant Slovak politician and journalist, in Tisovec, his native town, situated in front of the school carrying his name
187
Bratislava, the Square of the Slovak National Uprising, November 22, 1989; one of the most decisive scenes of the so called Tender Revolution
188–189
The territory of Hainburg, an Austrian village, December 10, 1989, the first free look of the people of freed Czecho-Slovakia at the ancient Devín Castle

LE LIVRE D'OR DE LA SLOVAQUIE

INVITATION

La chaîne des Carpathes se dessine au milieu de l'Europe comme un arc géant – sa corde est le Danube. Le rempart des montagnes et, à leur pied, la vaste Cuvette des Carpathes – dont la Slovaquie constitue la partie Nord-Ouest – représentent presque cinquante mille kilomètres carrés de la surface terrestre. Les grandes montagnes des Hautes Tatras en constituent la limite Nord, les fleuves Danubes et Ipeľ celle du Sud.

Sur ce bout de terre, la nature créa des conditions généreuses, même prodigues, aux plantes, aux animaux et aux hommes. Sur les prés danubiens du Sud, elle développa les forêts vierges marécageuses, un échantillon de jungle comme on peut en voir tout à fait au Nord; dans la région Záhorie (à l'Ouest des Carpathes) elle créa un petit „Sahara" avec les dunes de sable mouvantes; dans le parc national du Paradis slovaque – un royaume de rêve en hiver; et ailleurs – des villes de roches, de vastes vallées et d'étroits canyons, défilés et brèches, beaux à chaque saison; dans le Karst slovaque – des dizaines de gouffres, un sous-sol plein de trous tel un gruyère, des sources vauclusiennes bourdonnantes; au Sud – des saunières, des marécages et des steppes buissonnantes, au Nord – des prés alpins, des cheminées de fée, des déjections de basalte provenant des volcans éteints depuis longtemps – au total six zones de vegétation à partir de celle du bassin jusqu'à la grande montagne. Les plissements hercyniens et alpins y abandonnèrent leurs arabesques de passion, un terrain richement structuré en horizontale et en verticale. La dernière retouche esthétique sur le visage géologique du paysage fut modelé par l'orogène alpin qui atténua fortement le type tectonique de l'ère précédente et le prépara à l'arrivée de l'homme, pour créer l'espace lui permettant d'y engager sa charrue néolithique.

Rien qu'au point culminant du grand arc des Carpathes, les processus orogéniques dressèrent cinquante kilomètres cubes de granits jusqu'à la limite de la neige éternelle. Ils élevèrent ainsi leur propre dominante en Europe centrale, combinée, en plus, avec des calcaires, des sédiments d'anciennes mers y ayant bourdonné pendant une partie de l'éternité. Jusqu'à ce jour, l'homme ressent la joie intuitive et consciente de voir que le temps n'a pas encore su les réduire pour en faire un plateau, qu' il y reste encore des reliques du tertiaire dans leurs vallées – les antilopes de haute montagne à jambes rapides qu'on appelle les chamois, et aussi les marmottes, autrefois chassées pour leur graisse curative. On peut y trouver encore l'aigle majestueux et aussi le casse-noix provenant de l'ère glaciaire, qui va planter toujours avec autant de succès des tiniers du tertiaire dans les hauteurs, au-delà de la limite des forêts. Le tout est entouré d'une magnifique flore, avec des reliques de l'ère géologique précédente. Et partout – la fraîcheur, les raideurs du granit, les parois de calcaire et le silence des vastes vallées du Nord; quantité des chaînes de montagnes – chacune différente des autres. Les monts Strážovské vrchy sont le site de la plus grande variété d'orchidées en Europe, les chaînes de montagnes volcaniques offrent une panoplie extraordinaire d'effets, y compris une caldeira imposante – la dépression sur le mont Poľana, d'autres recouvrent des grottes d'une beauté luxuriante, mais aussi celles qui garderont pour toujour leur place dans l'histoire de l'homme.

La ligne de partage des eaux importante du continent – c'est la limite Nord du vignoble, du marronnier et des autres plantes. Parmi plus de trois mille variétés de plantes, il y a presque mille bryophytes. Plusieurs proviennent de la région de la Pannonie, l'origine des autres se situe dans les Carpathes occidentales ou aux Balkans, un botaniste y découvrira même des immigrés verts du Nord sans trop de peine. De vrais chemins de la croix des animaux, des plantes, des hommes. Personne ne saurait compter des groupes ethniques ayant passé par là et y ayant trouvé leur domicile provisoire. Nombreux étaient ceux qui ont trouvé leur plaisir dans ce pays et beaucoup y ont laissé des traces qui en disent long.

Dans une roche de travertin à Gánovce, au pied des Hautes Tatras, un tailleur de pierre extrait le cerveau d'un jeune homme de Néanderthal qui s'était noyé dans un petit lac thermal il y a cent cinquante mille ans; un pêcheur remarqua la mâchoire d'une femme de Néanderthal sur une terrasse de gravier, au bord du Váh. Les deux trouvailles annoncent le fait d'importance fondamentale: on peut y vivre.

La mère du paléolithe inférieur enterra son enfant dans une grotte des Petites Carpathes dite „Deravá skala" (la Roche perforée) et le couvrit d'un morceau de tôle en cuivre... L'ancien chasseur magdalénien grava dans l'os de mamouth (pas encore fossilisé) la statuette de la Vénus de Moravany (elle passerait une partie de son existence au Musée de l'Homme à Paris), et au sous-sol du Karst Slovaque, un mage ancien au masque de cerf sur son visage, dansa ses danses magiques. Magna Mater, la grande mère de Nitriansky Hrádok, s'assit sur son trône d'argile et leva ses mains dans un geste d'adoration, un peu comme Vénus de la commune Krásno, l'oeuvre de l'apogée (et, curieusement, déjà abstrait) de l'ère ancienne en Slovaquie.

Sous nos yeux défilent des idoles et des Vénus des différents sites de la Slovaquie, des bijoux et des armes, la céramique, des urnes avec les cendres des anciens hommes, mais aussi des trésors que les hommes avaient cachés dans la terre, car, dans les moments de détresse, ils font toujours confiance à la terre. Cherchons la signification de ces artefacts matériels, élevons-les en amulettes magiques – à travers elles on peut, l'espace d'un instant, s'identifier à la pensée des ancêtres lointains du peuple de ce pays.

Le temps, infatigable et tenace, s'écoule dans un sens. Il effleure les choses, les hommes du pays, sans faire du bruit; il ronge, construit, démolit, crée, inscrit les fleuves dans les plateaux montagneux, dépose ses alluvions. Il répartit une couche de douze mètres de loess sur les foyers des hommes anciens. Il réduit Slavkovský štít, autrefois le pic le plus haut des Hautes Tatras, de trois cents mètres en hurlant, dans un instant dramatique. Il tisse les profondeurs de la terre par les eaux minérales et médicinales qui se frayent le chemin à la surface dans des milliers de sources. Dans les couches des dépôts calcaires et dolomitiques, il édifie des cathédrales de concrétions calcaires, de magnifiques salles, labyrinthes et gouffres, goutte après goutte, pendant des minutes, des années, des siècles. Ainsi, il aura créé Domica, le site unique des hommes de la culture de Buková Hora; ainsi, il aura rongé et décoré le système des grottes Demänovské jaskyne, d'une longueur de plus de vingt kilomètres, dont la beauté de couleurs et de formes coupe le souffle. Il imbiba les alluvions déposés dans la plaine Danubienne de l'eau comme une éponge, comme s'il pensait à la soif des générations futures. Dans le sous-sol de la station thermale à l'iode et au brome Číž et dans la commune Oravská Polhora, il conserva les eaux sursalées de l'ancienne mer; au Nord-Ouest de la Slovaquie, dans la commune Turzovka-Korňa, on peut puiser, même aujourd'hui, un flacon de pétrole rougeâtre de l'unique jaillissement naturel en Europe Centrale.

Les volcans déversèrent leur magme ardente dans la nature verte pour la dernière fois. Le souffle des vents acheva les dunes de loess du futur plateau de Trnava. Les glaciers gravèrent leurs dernières égratignures dans les granits des Tatras et les pins poussèrent leurs germes sur les dunes de sable de Záhorie.

Dans les profondeurs de la terre, les richesses minérales furent déjà accumulées – l'or et l'argent, le cuivre et le fer, le mercure et l'antimone, le travertin et le marbre, le sel et le magnésite ; dans les montagnes qu'on appellerait plus tard Slanské vrchy, il y avait même la pierre précieuse étincellante opale. Et au fur et à mesure que la Terre accumulait ses années, comme les arbres, dans la mémoire des hommes s'accumulaient les expériences florissant dans la sagesse. Les tribus, les cultures, les âges se suivaient. L'histoire s'enlaçait, créait des noeuds, une culture influençait l'autre. Le paléolithe survola le pays, le néolithe s'écoula avec sa révolution, l'ère de bronze passa et l'ère romaine s'installa. Elle laissa de nombreux vestiges en Slovaquie à son tour : Limes Romanus – les fortifications frontalières de l'Empire romain ; les stèles des tombeaux ; l'inscription célèbre sur la roche de Trenčín où les Romains atteignirent le point le plus éloigné au Nord de leur expansion. Et enfin, le premier livre écrit, par concours de circonstances, au bord du Hron, ce beau fleuve qui a conservé son nom de l'ancienne époque. Le titre du livre : „Les paroles à soi-même". Auteur : l'Empereur romain Marc Aurèle.

La scène géologique et historique est prête. Les ancêtres slaves des Slovaques actuels pénètrent déjà par les cols et les vallées des rivières dans le pays dont une partie fut déjà dessinée sur la carte par le Grec Anaximandre presque mille ans plus tôt, suivi de Claude Ptolemée. Les prédécesseurs des Slovaques affluèrent dans la vallée des Carpates en trois courants. Le pays suffisamment chaud et humide, protégé par un rempart de montagnes contre le vent froid du Nord, offrait tout ce qu'il avait – de l'eau claire dans les lacs et les sources, des rivières pleines de poissons et navigables, des forêts remplies de gibier, richesse de bois et de pierre, des terre noire et sol brun fertiles. La migration des peuples s'achevait et les arrière-grands-parents des habitants actuels de la Slovaquie s'y installèrent à jamais pour acquérir le droit de cité dans leur nouvelle patrie. Ils furent chasseurs et bergers, paysans et artisans. Ils construisaient des cabanes de poutres, des palissades, des cités fortifiées. Ils gardaient les cols et les passes, ils labouraient la terre, extrayaient les minerais, coulaient les métaux, forgaient, tissaient. Le tour de main des artisans se mariait avec le goût de la beauté, comme on peut en juger aux bijoux de la Grande Moravie, des temps précédant et suivant la venue des apôtres et inventeurs des caractères slaves Cyrille et Méthode. Ils témoignent de la maitrise de toute une série de techniques de traitement des métaux jusqu'aux plus délicates – traitement de l'or et de l'argent.

S'ils venaient dans leur nouvelle patrie vraiment des vastes steppes de l'Est, ils devaient d'abord prendre racine dans le pays pour y être bien implantés plus tard – déjà modifiés par lui – pour absorber sa nature-même par des milliers de capillaires, absorber la jeunesse géologique du territoire et le patrimoine des générations, les inscrire dans leurs gènes, dans leur jeunesse slave, vieux slave et slovaque, pour la retrouver dans leurs pensées, aspirations, rêves, mais surtout dans leurs actes.

Sur les deux rives des fleuves, ils labouraient les champs, construisaient leurs cabanes encaissées dans la terre et les anciennes basiliques slaves, les villes médiévales, les églises romanes, des chaînes de châteaux de guet, les châteaux Renaissance et baroque, les cathédrales gothiques dont l'espace triomphe sur la lourdeur romane de la pierre. Ils reliaient les vallées et les rivières par un réseau de routes au contact des anciens chemins, y compris le Chemin du Sel à l'Est et le Chemin de l'Ambre jaune à l'Ouest. Ils forgaient, tissaient, brodaient. Ils amélioraient toujours et encore : après l'invasion des Tartares – Mongoles, autant qu'après la domination d'un siècle et demi des Turcs sur la partie de la Slovaquie située plus au Sud. Et chaque invasion, chaque cataclisme les appauvrit matériellement d'une partie du patrimoine culturel représenté par les artefacts. Ils vivaient le temps où leur patrie participait à la production mondiale de l'or par un tiers et à la production de l'argent par la moitié, mais les deux métaux précieux s'écoulèrent vite au-delà de leurs frontières. La veuve du roi Charles Robert a exporté vers Naples, sa ville natale, 27 000 talents d'argent pur et 21 000 talents d'or pur et, de surcroît, un demi-tonneau de florins de Kremnica. C'était une quantité énorme : elle représentait la production de six années des mines hongroises et la production de deux années de l'or du monde entier alors connu. Des milliers de beaux opales des monts Slanské vrchy furent dirigés vers Budapest et Vienne ; même l'opale mondialement connu, Harlekýn (Arlequin), le plus grand et le plus beau au monde jusqu'à la découverte des mines d'opale en Australie, n'est pas resté dans son pays d'origine. Beaucoup trop de valeurs (et non seulement matérielles) furent ruinées et dévastées par les invasions, révoltes anti-féodales, guerres ayant sévi à travers le pays. Et le peuple n'a toujours pas le bilan de toutes les choses précieuses dont il fut dépourvu par la faute des autres, mais parfois aussi par sa propre faute.

Parmi eux, le squelette du pithécantrope avec son petit des lignites de Nováky ; la gravure sur l'os représentant un cheval „kertago" de la grotte Pec ; la dent d'enfant de l'homme de Cro-Magnon de la grotte Deravá skala ; le crâne de l'homme de Néanderthal de la grotte au pied du mont Dreveník ; les autels gothiques et les codex d'or ; la précieuse littérature d'Eglise ; la bibliothèque hippologique unique de Lehnice reliée en cuir et en or ; les livres en espagnol reliés de Stará Ľubovňa ; les tableaux de Rembrandt ; les ostensoirs et les icônes d'or ; et d'autres objets précieux et curiosités historiques comme le berceau à Gabčíkovo dans lequel fut bercé Joseph II dit „le roi à chapeaux".

Et encore, juste en passant, quelques mentions sur la force créatrice du cerveau et des mains de l'homme vivant dans ce pays. Il transforma le travertin de Spiš en château de Spiš, le plus grand château dans sa patrie ; le grès en une gothique raide de la Cathédrale de Ste Elisabeth à Košice, de la Cathédrale St. Jacques à Levoča et à la cathédrale St. Martin à Bratislava où furent couronnés les rois et les reines de la Hongrie aux temps de l'expansion turque ; les vieux tilleuls mûrs en autel gothique le plus haut du monde, l'oeuvre du Maître Pavol de Levoča ; l'or en bijoux et en ostensoirs et en florins et en ducats de Kremnica ayant roulé à travers le monde entier ; le cuivre en haches néolithiques et réseaux électriques des communications ; le fer de Rudňany, par exemple, en câbles en guitare sur lesquels est suspendu l'un des ponts de Bratislava ; le bois en sculptures ; le verre en colliers de verre de la Grande Moravie, mais il en a fait aussi l'objectif de Petzval (l'un des cratères sur la Lune porte le nom de Petzval).

Comment ne pas mentionner les arts populaires, la variété de produits à utiliser tous les jours et à offrir ? Comment ne pas mentionner les contes et les chants populaires dans lesquels se reflète, comme dans le miroir d'une fontaine d'eau claire de la montagne, le vaste éventail de rêves et de sentiments, d'aspirations et de passions, de tristesses et de joies, la vitalité insurmontable du peuple, de l'héritier et du successeur de tous ceux qui se sont relayés dans la cuvette des Carpathes ?

Le Livre d'or de la Slovaquie est une fenêtre constituée par le prisme d'un appareil de photo à travers lequel on peut regarder ces quelque cinquante mille kilomètres carrés de l'Europe. Deux cent vingt vues sur la nature et sur l'homme toujours présent en elle par son oeuvre. Les regards au passé et au présent de la Slovaquie – pays dans lequel le peuple est enraciné comme les graines d'or dans le quartz de Kremnica.

VLADIMÍR FERKO

En couverture : le panorama des Hautes-Tatras ; au dos le château de Bratislava ; aux pages de garde : la vallée des Hautes-Tatras Veľká Studená dolina et les bras du Danube ; en page de titre : le panorama des montagnes de la Slovaquie

7–11

Les années confuses du temps.

La création du monde à peine achevée, ou même avant encore, l'homme y fait ses greffes déjà, il marque la masse brute et le visage du paysage par le contact de ses mains et de son cerveau.

Tantôt c'est l'or ou l'argent invités à célébrer la grâce de la femme, tantôt la maçonnerie pour un autre bijou – la petite église préromaine dans la commune Kostoľany pod Tríbečom...

Les traces de l'homme gravées dans l'argile et dans le bois, dans le métal et dans la pierre, dans la parole et dans l'âme de son pays natal.

7

Une partie des plus de mille pièces de monnaie de la République et de l'Empire de Rome trouvées dans le cadastre de la commune Vyškovce nad Ipľom en Slovaquie du Sud (Musée national slovaque, Château de Bratislava)

7

Anneau décoratif celte à porter au pied provenant des vestiges trouvés à Palárikovo, commune en Slovaquie du Sud (Musée national slovaque, Château de Bratislava)

7

Pièces de monnaie, bijoux et récipients en argent d'un marchand byzantin trouvés dans la commune Zemiansky Vrbovok en Slovaquie centrale (Musée national slovaque, Martin)

7

Boucles d'oreille, colliers, boutons, plateaux et autres objets de l'ère de la Grande Moravie, découverts dans la commune Ducové en Slovaquie occidentale (Musée national slovaque, Château de Bratislava)

8

La poignée de l'épée provenant du tombeau d'un grand seigneur slave dans la commune Blatnica en Slovaquie du Nord (original déposé au Musée national de la Hongrie à Budapest)

9

Château Devín, à l'origine site préhistorique, ensuite poste militaire romain, depuis le 9ᵉ siècle site de la Grande Moravie ; au 13ᵉ siècle on construit le château de premier gothique ; dans l'histoire moderne, lieu des pélérinages nationaux

10

Le château de Nitra, initialement un site slave de la Grande Moravie; château fut construit sur la roche au 11ᵉ siècle, la cathédrale progressivement du 13ᵉ au 17ᵉ siècles

11

Petite église de St Georges dans la commune Kostoľany pod Tribečom, la première oeuvre d'architecture connue en Slovaquie, entièrement conservée : elle existait probablement au 10ᵉ siècle déjà

12

Stratiotes aloidea

13

Les bijoux d'un petit lac thermal

14

Grande outarde (Otis tarda)

Cistude (Emys orbicularis)

15

Chantiers navals slovaques de Komárno

Moulin sur le Petit Danube

16–17

Les épis dans le Bassin danubien

18

Les vignobles des Petites Carpathes

19

Dans la coopérative d'art populaire de la majolique et de la céramique à Modra

L'année du vigneron, représentée sur les carreaux en majolique de Modra

20

L'intérieur de l'église universitaire à Trnava, avec maître-autel baroque des années 1637–1640

21

Piešťany, ville thermale mondialement renommée, notamment pour le traitement des maladies de l'appareil locomoteur et des états post-traumatiques : panorama de l'Ile des Bains ; piscine de rééducation près de la maison de cure Esplanade

22

Trenčianske Teplice, ville thermale importante pour le traitement des maladies de l'appareil locomoteur notamment : le sanatorium Krym ; au bord du petit „Etang des cygnes" dans le complexe du Parc des Bains

23

Trenčín, château du comitat avec palais et tour en briques, construit à la 2ᵉ moitié du 13ᵉ siècle ; les ouvrages rénovés abritent les musées et expositions

Château de Beckov, construit fin 12ᵉ, début 13ᵉ siècle comme château royal de guet à la frontière, en style gothique, avec la tour du premier gothique, dont la construction fut modifiée ; ruines conservées à l'époque actuelle

24

Bojnice, château initialement fondé probablement vers la fin du 13ᵉ siècle, fin 19ᵉ reconstruit en château de Romantisme ; musée

Topoľčianky, château à arcades du classicisme, datant du 17ᵉ siècle, construction modifiée et complétée ; musée et château de repos

25

Mouflon (Ovis musimon)

Daim (Dama dama)

26

Bison d'Europe (Bison bonaeus)

Blaireau (Meles meles)

27

Blanches Carpathes, zone protégée, chaîne de montagnes des Carpathes Occidentales extérieures

28

Les monts Súľovské vrchy, ensemble de montagnes dans la partie Nord-Ouest de la région des Tatras et Fatra

29

Červený Kameň, à l'origine château royal, dont les mentions écrites datent du milieu du 13ᵉ siècle ; au 16ᵉ siècle reconstruit en un château fortifié Renaissance-baroque, à l'époque actuelle utilisé comme musée ; vue générale et la „Sala terrena" de la première époque de baroque

30

Château Renaissance à arcades à Bytča, construit au 16ᵉ siècle comme site fortifié féodal, le Château des mariages sert de musée

31

Château du baroque-classicisme à Antol, construit en 1744 comme un siège noble ; à l'époque actuelle il abrite le Musée de la forêt, du bois et de la chasse représenté sur la photo (curiosité : la construction représente l'année calendaire – elle comporte 4 portes, 12 cheminées, 52 chambres, 365 fenêtres)

Musée de l'architecture rurale de la région d'Orava, dans le cadastre de la commune Zuberec sur l'alpage Brestová

32–33

Parc national Malá Fatra

Canyon de Tiesňavy, entrée impressionnante de la vallée Vrátna dolina

Mont Veľký Rozsutec, 1 610 m, surplombant la commune Štefanová

34

Cypripedium calceolus

Gentiane (Gentiana clusii)

35

Pédiculaire (Pedicularis oederi)

Pulsatille (Pulsatilla slavica)

36

Cygogne (Ciconia nigra)

Glaucidium passerinum

37
Lynx (Lynx lynx)

Martre (Martes martes)
38
Deux musées en plein air de l'architecture rurale: communes Podbiel et Vlkolínec
39
Mont Babia hora, 1 725 m, l'une des montagnes les plus visitées de la région d'Orava

La réserve d'eau Orava s'étend sur une superficie de plus de 35 km²; l'une des stations recherchées des sports d'été et du tourisme
40
Le château gothique d'Orava, fondé avant 1267, l'une des constructions les mieux conservées en Slovaquie; les ouvrages rénovés sont utilisés comme musée ou galerie
41
Ruines du château Strečno construit dans le défilé surplombant le fleuve Váh, au début du 14e siècle; dans ses environs se sont déroulés les combats difficiles pendant l'Insurrection nationale slovaque où se sont particulièrement distingués les partisans français
42
Centre de la ville Žilina, sa cité historique est une cité classée monument historique
43
Bâtiment principal de l'institution nationale traditionnelle Matica slovenská à Martin, fondée en 1863
44
Cimetière national à Martin où reposent des personnalités nationales remarquables de la Slovaquie
45
Galerie de Ľudovít Fulla, peintre, litographe, illustrateur et scénographe slovaque célèbre, à Ružomberok
46–49
Institut d'ethnographie du Musée national slovaque à Martin: exposition des vêtements populaires de cérémonie et de fête
50
Edelweiss (Leontopodium alpinum)
51
Joubarbe (Sempervivum montanum)
52
Laie (Sus scrofa)

Ours brun (Ursus arctos)

53–57
Monts Veľká Fatra, vaste zone protégée dans la partie centrale de la Slovaquie
53
Le mont Rakytov, 1 567 m
54
Le mont Čierny kameň, 1 480 m
55
La vallée Gaderská dolina
56–57
Le mont Krížna, 1 574 m
58–63
Le Monts Métallifères, vaste zone protégée dans la partie centrale de la Slovaquie
58
Le mont Klenovský Vepor, 1 338 m
59
Kečovské škrapy, steppe rocheuse riche en familles xérophiles de flore et de faune
60
La forêt vierge Dobročský prales, démonstration de communautés de forêts originales

Le bolet (Boletus sereus)
61
La vallée Zádielska dolina, canyon étroit avec un relief structuré
62
La grotte d'aragonite d'Ochtiná, décorée notamment par des structures blanches d'aragonite en forme de touffes et d'arbustes
63
La grotte Domica, décorée par des cimes, tambours et petits lacs de sintre
64–65
Réserve d'eau Liptovská Mara dans le cours supérieur du Váh, s'étendant sur une superficie de 27 km² environ
66
Complexe des sports nautiques à Liptovský Mikuláš
67
La plus grande église articulaire en Slovaquie construite en bois se trouvait dans la commune Paludza; après sa disparition suite à la construction de l'ouvrage hydraulique, elle a été déplacée à Liptovský Svätý Kríž
68
Východná, la commune typique au pied des Tatras, est devenue le lieu du festival traditionnel des chants et des danses folkloriques avec participation internationale
69
Vue d'un spectacle de Lúčnica, ensemble folklorique d'amateurs célèbre dans le monde
70
Leucanthemopsis alpina subsp. tatras

Aster des Alpes (Aster alpinus)
71
Aegolius funereus

Tétras (Tetrao urogellus)
72–80
Parc national des Basses Tatras, deuxième chaîne de montagnes pour leur altitude, après les Hautes Tatras, dans la région Fatra et Tatras
72
La plus haute cime de la chaîne des Basses Tatras; Ďumbier, 2 043 m
73
Chopok, 2 024 m, le mont le plus visité de la chaîne grâce à ses moyens de transport en montagne
74
Télécabine de Jasná jusqu'au pied de Chopok
75
Lignées de rochers Ohniste, massif de 1 539 m d'altitude
76–77
Lomnistá dolina, vallée symbole de la période de l'Insurrection nationale slovaque
78
Grotte Demänovská jaskyňa slobody, la plus belle et la plus visitée des grottes slovaques, se distinguant par la quantité, la variété et la brillance de ses concrétions; sur la photo – l'Arbre de la vie
79
Sur la piste du slalom géant du Grand prix des grottes Demänovské jaskyne, la plus ancienne compétition de ski en Slovaquie
80
Cime du mont Kráľova hoľa, 1 948 m, qui inspira de nombreuses légendes et chants
81
Soldanelle (Soldanelle carpatica)

Silène (Silene acaulis)
82–83
Cerf d'Europe (Cervus elephus)
84
Château de Zvolen, à l'origine château royal de chasse gothique, construit au 14e siècle, après reconstruction utilisé comme musée et galerie

Banská Štiavnica, aux temps féodaux ville minière libre d'importance européenne, à l'époque actuelle cité classée monument historique; sur la photo: Ancien château, forteresse Renaissance de défense contre les Turcs, construite au 16e siècle (curiosité: la poudre noire a été utilisée pour la première fois dans les mines de Štiavnica, en 1627)
85
Kremnica, ancienne ville minière avec hôtel de la monnaie; les gros d'argent

y furent frappés à partir de 1329, remplacés plus tard par les ducats d'or : le complexe fortifié du château de la ville des 14e–15e siècles constitue la dominante du site classé

86–87
Banská Bystrica, métropole de la Slovaquie centrale, au passé la ville royale minière libre, en 1944 centre de l'Insurrection nationale slovaque : panorama de la ville ; place historique de l'Insurrection nationale slovaque
88
Špania Dolina, ancienne commune minière dans les monts Starohorské vrchy, musée en plein air de l'architecture populaire (curiosité : au 16e siècle, la canalisation d'eau en bois fut construite à partir du mont Prašivá dans les Basses Tatras)
89
Čičmany, commune typique et musée en plein air de l'architecture rurale dans les monts Strážovské vrchy ; sur les photos : maison à étage en bois avec décoration blanche extérieure et l'une des traditions du carnaval conservée jusqu'à nos jours
90
Crocus scepusiensis

Doronic (Doronicum styriacum)
91
Falcon (Falco cherrug)

Aigle royal (Aquila chrysaetos)
92–96
Parc national Slovenský raj (Paradis slovaque)
92
Le tournant de Hornád, canyon avec une dénivellée de plus de trois cents mètres
93
Cascades à cuvettes dans la vallée Suchá Belá
94
Défilé Veľký Sokol
95
Rocher karstique Tomášovský výhľad
96
Grotte Dobšinská ľadová jaskyňa, la plus grande grotte de glace en Tchéco-Slovaquie, la photo représente la Grande Salle (curiosité : la glace du sol a une épaisseur de 25 m)
97
Onosima tornanea

Dent de chien (Erythronium dens-canis)
98
Krásna Hôrka, château gothique en bon état de conservation, fondé au 13e siècle ; construction modifiée, musée à l'époque actuelle
99
Château municipal à Kežmarok, intialement gothique, fondé vers la fin du 14e siècle, musée à l'époque actuelle (curiosité : en montant dans la valée Dolina Bielej vody dans les Hautes Tatras, en 1565, la maîtresse du château de Kežmarok, Beata Laski avec ses compagnons, fut à l'origine de l'histoire du tourisme dans les Tatras)
100–101
Ruines du château Spišský hrad, le plus vaste château médiéval sur le territoire de la Slovaquie, fondé vers le 12e siècle ; construction adaptée et modifiée, musée à l'époque actuelle
102–105
Levoča, ville dans la région de Spiš, cité classée monument historique : Hôtel de ville Renaissance du milieu du 16e siècle ; maître-autel de l'église gothique de St Jacques, de 18,6 m de hauteur, oeuvre majeure de Maître Pavol, la plus grande personnalité de l'atelier de gravure mondialement renommé fondé au 15e siècle ; tableau peint „Adoration des trois Mages“ de l'autel à trois ailes Vir dolorum
106–108
Parc national de Pieniny, dans la partie Nord-Ouest des Beskydes orientales
106
Défilé de Dunajec, canyon à multiples méandres
107
Roche Ostrá skala dans le massif Haligovské skaly à relief rocheux
108
Červený Kláštor, monastère fondé par l'ordre des chartreux au début du 14e siècle
109
Pulsatille (Pulsatilla grandis)

Rhodiola rosea
110–114
Košice, métropole de la Slovaquie de l'Est, deuxième ville de la République Slovaque
110
Cathédrale gothique de Ste Elisabeth, achevée au début du 16e siècle
111
Théâtre d'Etat, construit vers la fin du 19e siècle
112
Quartier d'habitation plus récent de la ville
113
Sur le podium des vainqueurs du Maraton International de la Paix, compétition organisée à Košice depuis 1924

Serpentins de la course cycliste Tour de la Slovaquie
114–115
Les maîtres des professions chaudes : métallurgiste des usines de sidérurgie à Košice et verrier de la verrerie à Lednické Rovne
116
Vyšné Ružbachy, station thermale carbonique dans le massif Spišská Magura pour le traitement notamment des maladies nerveuses et des maladies professionnelles
117
Station thermale Bardejovské Kúpele en Slovaquie du Nord-Est, pour le traitement notamment des maladies de l'appareil de digestion et des voies respiratoires
118
Prešov, ancien centre culturel et économique de la région de Šariš : Hôtel de ville et maisons Renaissance dans la cité classée monument historique ; église paroissiale gothique de St. Nicolas construite au milieu du 14e siècle, au premier plan la fontaine de Neptune
119
Mont Sninský kameň, 1 005 m, début de l'arc volcanique de l'Europe de l'Est dans le massif Vihorlat
120
Orchis majalis

Trèfle d'eau (Menyanthes trifoliata)
121
Loutre de rivière (Lutra lutra)

Loup (Canis lupus)
122–123
Bardejov, place de l'Insurrection nationale slovaque dans la citée classée (curiosité : en 1986, la ville a remporté le Prix européen et la Médaille d'Or pour la rénovation des monuments)
124–125
Vues d'un ensemble des plus importants monuments de l'architecture populaire en bois – églises rurales en Slovaquie de l'Est : dans les communes Miroľa, vues extérieure et intérieure ; Jedlinka, vue intérieure ; Dobroslava, vue extérieure
126
Réserve d'eau Zemplínska šírava, une superficie de 33,5 km² environ, station des sports d'été et de repos la plus recherchée en Slovaquie de l'Est
127
Boule d'or (Trollius europaeus)

Rosier (Rosa pendulina)

128–151
Le massif des Hautes Tatras, parc national, territoire naturel le plus important de la République Fédérative Tchèque et Slovaque, et l'un des plus importants sites protégés de l'Europe
128–129
Panorama des hautes montagnes tchéco-slovaques uniques

130
Gerlachovský štít, 2 655 m, la plus haute cime du massif et de la Tchéco-Slovaquie
131
Les parois des Tatras offrent d'excellentes conditions à l'alpinisme
132–133
Kriváň, 2 494 m, mont symbolique de la liberté des Slovaques
134
Štrbské pleso, 1 346 m, lac glaciaire le plus visité des Tatras
135
Les cascades de Veľký Studený potok
136
Télécabines à Skalnaté Pleso, 1 751 m, dont l'une avec relais continuant jusqu'à la cime Lomnický štít, 2 632 m
137
Vallée Skalnatá dolina, avec la commune la plus haute Skalnaté Pleso, à une altitude de 1 751 m
138
Truite (Salmo turtta trutta morpha fario)
139
Fin de la vallée Malá Studená dolina avec le torrnet
140
Panorama d'automne des cimes Lomnický štít, 2 632 m, Kežmarský štít, 2 558 m, Huncovský štít, 2 415 m
141–142
Massif des Tatras Belianske, de droite à gauche: monts Ždiarska vidla, 2 146 m, Havran, 2 152 m, Nový, 1 999 m; l'un des ouvrages du musée en plein air de l'architecture rurale et de l'art populaire dans la commune typique Ždiar
143–145
Les Tatras Occidentales: panorama vu des Basses Tatras; Tretie Roháčske pleso de la série des lacs morainiques creusés dans la vallée Roháčska dolina
146
Maison de cure Helios dans la station climatique à Štrbske Pleso pour le traitement des maladies non-spécifiques des voies respiratoires
147
Complexe de cure de la station climatique Nový Smokovec pour le traitement notamment des maladies des voies respiratoires
148
Station des sports d'hiver à Štrbské Pleso, lieu des compétitions de ski importantes – championnats du monde (1935, 1970), universiades d'hiver, la Coupe des Tatras traditionnelle et autres compétitions de ski
149
Ecole de ski pour enfants à Starý Smokovec
150
Chamois (Rupicapra rupicapra tatrica)

Marmotte (Marmota marmota tatrica)
151
Pin cembre (Pinus cembra)

Airelle (Vaccinum vitis-idaea)
152
Anémone (Anemona narcissiflora)

Gentiane (Gentiana asclepiadea)
153
Pulsatille blanche (Pulsatilla alba)

Primevère (Primula minima)
154–177
Bratislava, capitale de la République Slovaque, siège du Conseil national slovaque, du Gouvernement de la République Slovaque, des autorités et institutions centrales politiques, d'Etat, économiques, sociales, culturelles et scientifiques, des représentations consulaires
154–155
Panorama avec le château et le Danube à la tombée du jour
156
Château de Bratislava, complexe du château monumental rénové, symbole d'une histoire millénaire des Slovaques, abritant des trésors de la culture nationale dans les collections du Musée national slovaque; dans les locaux du palais se trouvent également les salles du Conseil national slovaque et du Président de la République Fedérative Tchèque et Slovaque
157
Exposition d'art gothique en Slovaquie (Musée national slovaque, Château)
158–159
Cathédrale St. Martin, église paroissiale gothique à trois nefs, dôme de couronnements des souverains hongrois, construit aux 14ᵉ–15ᵉ siècles, vue extérieure et maître-autel
160
Matej Donner: Marie-Thérèse, revers de la médaille de couronnement de Bratislava datant de 1741 (Musée national slovaque, Château)
161
L'ancien Hôtel de la Chambre royale (milieu du 18ᵉ siècle), lieu des sessions de l'Assemblée Hongroise, actuellement Bibliothèque universitaire
162
Ruelle Baštová ulica, l'une des plus anciennes ruelles, et des mieux conservées, du système des remparts de la ville
163
Façade de l'Hôtel de ville avec sa tour, gothique à l'origine, des 14ᵉ et 15ᵉ siècles; au moyen-âge siège de l'administration municipale, abritant les expositions du Musée municipal à l'époque actuelle
164
Palais Primatial (état avant reconstruction), bâtiment représentatif de classicisme construit aux années 1777–1781 (curiosité: dans sa Salle aux miroirs, les représentants de la France victorieuse et de l'Autriche vaincue signèrent la „Paix de Presbourg", après la bataille d'Austerlitz, en 1805)
165
La maison Au Bon Pasteur, en style rococo, un bijou dans la cité historique de la ville
166
Bâtiment de l'ancien lycée évangélique ayant élevé de nombreux représentants illustres de l'intelligence slovaque; construit en 1783
167
La Redoute, salle des concerts de la Philharmonie slovaque, lieu principal des Fêtes musicales de Bratislava
168
Concert sur la tour de l'Hôtel de ville à l'occasion de l'ouverture de l'Eté culturel
169
Bâtiment du Théâtre national slovaque, construit en 1886
170
Bâtiment de la Radio slovaque, construit cent années plus tard
171
L'intérieur de la Galerie nationale slovaque, institution nationale des collections d'art de plus haut niveau
172
Cimetière juif dans le complexe de la Colline du château
173
Cité d'étudiants à Mlynská dolina
174
Centre de ville, place Kamenné námestie
175
Centre de ville, place de l'Insurrection nationale slovaque
176
Complexe du Port d'hiver, à l'arrière-plan le pont Hrdinov Dukly
177
Feux et lumières du complexe de pétrochimie Slovnaft
178–189
Une fente claire apparaît à travers les spires des années
Le brouillard se dissipe, le pénombre des âges recule
Nous connaissons désormais presque tous les visages des personnalités illustres, nous voyons leurs actes historiques qui nous ont amenés dans le présent marqué par la limite du troisième millénaire.
179
Uhrovec, maison natale de Ľudovít Štúr, personnalité leader de la renaissance nationale slovaque (curiosité: dans cette maison, cent-six ans plus tard, est né Alexander Dubček, personnalité de la nouvelle renaissance tchéco-slovaque)
180
Myjava, maison commémorative du Conseil national slovaque et de l'Etat-major de l'Insurrection slovaque de 1848–1849, actuellement Musée du

Conseil national slovaque ; vue générale et intérieure

181

Bradlo, tombeau de Milan Rastislav Štefánik, grande personnalité de la résistance tchéco-slovaque à l'étranger et l'un des créateurs de l'Etat tchéco-slovaque

182

Monument de l'écrivain Martin Kukučín, dont l'oeuvre fait partie des plus grandes valeurs de la prose réaliste slovaque, édifié dans le jardin Medická záhrada à Bratislava

183

Monument du poète Pavol Országh Hviezdoslav, l'un des plus grands pohénomñes de la littérature slovaque, sur la place de Bratislava qui porte son nom

184

Monument et musée de l'Insurrection nationale slovaque à Banská Bystrica

185

Monument édifié sur les lieux des combats à Dukla, rappelant l'opération sanglante des Carpathes à Dukla dans la Seconde guerre mondiale

186

Monument de Vladimír Clementis, homme politique, homme d'Etat et journaliste slovaque important, dans sa ville natale Tisovec, devant l'école portant son nom

187

Bratislava, place de l'Insurrection nationale slovaque ; l'un des lieux décisifs de la „Révolution tendre", le 22 novembre 1989

188–189

Cadastre de la commune autrichienne Hainburg, le 10 décembre 1989 ; l'ancien château Devín vu par les citoyens de la Tchéco-Slovaquie en liberté, pour la première fois

DAS GOLDENE BUCH DER SLOWAKEI

EINE EINLADUNG

Wie ein riesiger Bogen, dessen Sehne die Donau bildet, ziehen sich die Karpaten mitten durch Europa. Der aus einzelnen Ketten bestehende Gebirgswall und das weite Karpatenbecken an seinem Fuß umfassen eine Erdoberfläche von nahezu 50 000 Quadratkilometern, wobei die Slowakei den nordwestlichen Teil einnimt. Diese wird im Norden vom Hochgebirge der Hohen Tatra und im Süden von den Flüssen Donau und Ipeľ umgrenzt.

In diesem Teil der Erde hat die Natur nicht nur günstige, sondern geradezu üppige Bedingungen für das Leben von Pflanze, Tier und Mensch geschaffen. In den südlichen Donauniederungen ließ sie urwaldähnliche Auwälder entstehen, nördlichste Vertreter des Dschungels, im Südwesten, in der Region Záhorie, eine Art Sahara mit Wanderdünen darin und im „Slowakischen Paradies", dem Nationalpark Slovenský raj, ein winterliches Märchenreich. Und andernorts Felsregionen, weite Täler und enge Klammschluchten, Cañons und Flußengen, die zu jeder Jahreszeit schön sind. Im Slowakischen Karst (Slovenský kras) entstanden so Dutzende von Abgründen, eine unterirdische Bodenschicht, die löchrig wie ein Schweizer Käse ist, rauschende Sprudelquellen, im Süden Salzlaken, Moraste und Waldsteppen, im Norden alpine Bergalmen, pilzförmige Felsen, Basaltgestein, die erstarrte Lava längst erloschener Vulkane, – und insgesamt sechs Vegetationszonen, die von einer Flachlandzone bis zur Hochgebirgsstufe reichen. Die Herzynische und die alpine Gebirgsfaltung haben hier ihre leidenschaftlichen Arabesken, ein horizontal und vertikal üppig gegliedertes Terrain hinterlassen. Für den letzten kosmetischen Eingriff im Gesicht des Landes war die alpine Orogenese verantwortlich, die den tektonischen Charakter des vorhergehenden Zeitalters stark reduzierte und so das Land für das Erscheinen des Menschen vorbereitete, doch zugleich auch dafür, daß dieser im Neolithikum seinen Pflug in es einsenken könnte.

Nur an der obersten Stelle des großen Karpatenbogens schoben gebirgsbildende Kräfte 50 Kubikkilometer Granitgestein bis zur Grenze des Ewigen Schnees empor. So schufen sie in Kombination mit Kalkgestein, den Sedimenten längst verschwundener Meere, die hier eine halbe Ewigkeit gerauscht hatten, eine besondere Dominante Mitteleuropas. Und bis heute empfindet der Mensch bewußt und unbewußt Freude darüber, daß es der Zeit bisher nicht gelungen ist, sie zu einem Hochplateau einzuebnen und daß es in ihren Tälern immer noch Relikte aus dem Tertiär gibt, flinke Hochgebirgsantilopen, die Gemsen, und Murmeltiere, die einst wegen ihres Fetts, dem man heilende Kräfte zuschrieb, erlegt wurden. Hier kann man noch den majestätischen Adler sehen und den aus der Eiszeit überkommenen Kernbeißer, der stets erfolgreich tertiäre Pinien weit oberhalb der Waldzone aussät. Die großartige Flora ringsumher enthält ebenfalls Überbleibsel einer früheren geologischen Epoche. Und überall Frische, steile Granithänge, Kalksteinwände und die Stille der weiten Täler im Norden. Eine Vielzahl sich aneinanderreihender Gebirgszüge, von denen jeder seinen besonderen Charakter hat. Die Strážovské vrchy sind ein Gebirge mit den in Europa häufigsten Orchideenvorkommen; die vulkanischen Gebirge bieten ein besonderes Sortiment an Phänomenen, u. a. eine imposante Caldera, einen Vulkankrater am Berg Poľana; und an anderen Orten gibt es phantastisch schöne Karsthöhlen, darunter auch solche, in denen sich Menschheitsgeschichte abgespielt hat.

Bedeutende kontinentale Wasserscheiden, die nördlichste Grenze des Weinbaus, des Anbaus der Edelkastanie und anderer Pflanzen. Unter den mehr als dreitausend Pflanzenarten gibt es fast tausend Moosgewächse. Eine Reihe stammen aus dem panonischen Bereich, andere aus den Ostkarpaten, dem Balkangebiet. Der Botaniker erkennt leicht auch andere grüne Zuwanderer aus dem Norden. Hier kreuzten sich in der Tat die Wege von Pflanzen, Tieren und Menschen. Niemand vermag die Volksstämme aufzuzählen, die vorüberzogen und hier zeitweilig eine Behausung fanden. Wahrlich allzu viele fanden Gefallen an diesem Land, und viele haben hier beredte Spuren hinterlassen.

Ein Steinmetz legt in einem Travertinhügel bei dem am Fuß der Hohen Tatra gelegenen Gánovce den Abdruck vom Gehirn eines jungen Neanderthalers frei, der hier vor 150 000 Jahren in einem kleinen Thermalsee ertrunken ist, und am Váh (Waag) entdeckt ein Angler im Geröll der Flußterrasse den Kiefer eines Neanderthalers. Beide Funde verkünden eine Botschaft von grundlegender Bedeutung: Hier läßt es sich leben.

In der Altsteinzeit beerdigt eine Mutter ihr Kind in einer – heute Deravá skala genannten – Höhle der Kleinen Karpaten und bedeckt seinen Leichnam mit einem kleinen Stück Kupferblech. Ein Jäger des Magdalénien schnitzt aus – damals noch nicht versteinertem – Mamutelfenbein die Statuette der Venus von Moravany (zeitweilig wurde sie im Pariser Museum des Menschen aufbewahrt), und im unterirdischen Bereich des Slowakischen Karsts vollführte der Magier der Vorzeit, das Gesicht mit einer Hirschmaske bedeckt, seine kultischen Tänze. Und die Magna Mater, die „Große Mutter" von Nitriansky Hrádok, sitzt auf ihrem irdenen Thron und erhebt ihre Hände – ebenso wie die Venus von Krásno, das bedeutendste Kunstwerk der prähistorischen Slowakei (das erstaunlicherweise bereits abstrakte Züge trägt) in anbetender Gebärde.

Vor uns defilieren Idole und Venusstatuetten verschiedener slowakischer Fundorte, Schmuck und Waffen, Keramik und Urnen mit der Asche von Menschen der Vorzeit, doch auch Schatzfunde, Münzen und Gegenstände, die die Menschen im Boden versteckten, denn im Augenblick der Bedrängnis vertraut man der Erde am meisten. Suchen wir nach dem Sinn dieser Artefakte aus verschiedenen Materialien, erheben wir sie in den Rang magischer Amulette, – so vermögen wir uns für einen Augenblick wenigstens in die einstigen Vorfahren der hier lebenden Menschen und ihre Gedankenwelt einzufühlen.

Unaufhaltsam strömt die Zeit in derselben Richtung weiter. Lautlos ergreift sie die Dinge und Menschen eines Landes: sie nagt, baut auf, reißt nieder und schafft Neues; in die Gebirgsplateaus gräbt sie Flüsse ein und lagert hier alluviales Schwemmaterial ab. Sie bedeckt die Feuerstellen der Vorzeitmenschen mit einer 12 Meter dicken Lößschicht. Den Slavkovský štít, den einst höchsten Gipfel der Hohen Tatra, macht sie in einem dramatischen Moment unter Getöse 300 Meter kleiner. Durch die Erdtiefe läßt sie Heil- und Mineralwässer dringen, die in tausend Quellen an die Oberfläche steigen. In den Ablagerungschichten von Kalk- und Dolomitgestein errichtet sie Tropfen für Tropfen, minuten-, jahre-, jahrhundertelang Tropfsteindome, wundervolle Säle, Irrgärten und Abgründe. So schafft sie die Domica-Höhle, jenen einzigartigen Siedlungsort von Menschen der Bükker-Kultur; sie gräbt das über 20 km lange Höhlensystem Demänovské jaskyne aus, das eine solche Pracht an Farben und Formen aufweist, daß es einem fast den Atem verschlägt. Das Schwemmland der Donauebene läßt sie sich mit Wasser vollsaugen wie einen Schwamm, so als hätte sie den Durst künftiger

Generationen mitbedacht. In den jod- und bromhaltigen Quellen des Kurortes Číž und in der Ortschaft Oravská Polhora bewahrt sie hingegen die Salzwasser eines einstigen Meeres auf, und im Nordwesten der Slowakei, in Turzovka-Korňa, kann man noch heute aus der einzigen natürlichen Ölquelle Europas ein Fläschen rötlichen Erdöls abzapfen.

Ein letztes Mal übergossen die Vulkane das grüne Land mit feuriger Lava. Die Winde trugen den Lößstaub des künftigen Hügellandes von Trnava heran. Gletscher gruben die letzten Schründe ins Granitgestein der Tatra, und auf den Sanddünen des Záhorie begannen die ersten Kiefern zu sprießen.

In der Erdtiefe waren bereits reichlich Mineralien geschichtet: Gold und Silber, Kupfer und Eisen, Blei, Antimonium, Travertin, Marmor, Salz und Magnesit; in dem später Slanské vrchy genannten Gebirge auch ein funkelnder Edelstein, der Opal. Und so wie die Erde ihre Jahresringe ansetzte, so nahmen in der Erinnerung der Menschen nach und nach die Erfahrungen zu, bis sie schließlich die Weisheit als Blüte hervorbrachten. Volksstämme, Kulturen und Epochen wechseln einander ab. Die Fäden der Geschichte verflechten, verknoten sich; eine Kultur beeinflußt die andere. Das Paläolithikum rauscht über das Land hinweg, das Neolithikum, die Steinzeit mit ihrer Revolution geht vorbei, es endet die Bronzezeit und die Epoche der Römer beginnt. Auch aus dieser sind zahlreiche Denkmäler in der Slowakei erhalten: der Limes, die Grenzbefestigung des Römerreichs. Römische Grabsteine. Die berühmte Inschrift auf dem Felsen von Trenčín, dem nördlichsten Ort, bis zu dem die Römer vordrangen. Und schließlich auch das erste Buch, das den Umständen gemäß am Ufer des Hron/Gran geschrieben wurde, jenes schönen Flusses, dessen Name aus uralten Zeiten stammt. Der Titel des Buches: „Selbstbetrachtungen". Sein Autor: der römische Kaiser Marc Aurel.

Geologisch und historisch ist der Schauplatz bereits vorbereitet. Die altslawischen Vorfahren der heutigen Slowaken dringen bereits über Bergpässe und Flußtäler in jenes Land vor, das etwa tausend Jahre davor von dem Griechen Anaximander und später auch von Ptolemäus in eine Landkarte eingezeichnet wird. In drei Strömen gelangten die Vorfahren der Slowaken ins Karpatenbecken. Das durch einen Gebirgswall gegen den kalten Norden geschützte Land, in dem es ausreichend Wärme und Feuchtigkeit gab, bot alles, was es besaß: klares Wasser der Seen und Quellen, fischreiche und flößbare Flüsse, Wälder mit zahlreichem Wild, Holz und Stein im Überfluß, fruchtbare Schwarz- und Braunerde. Die Völkerwanderung ging zuende, und die Urahnen der heutigen Bewohner siedelten sich hier auf Dauer an, um so in ihrem neuen Vaterland das Heimatrecht zu erwerben. Es sind Jäger, Hirten, Bauern und Handwerker. Sie errichten Holzhütten, Palisaden und befestigte Burgen. Sie bewachen Gebirgspässe und Bergpfade, sie pflügen, fördern Erze, schmelzen Metall, sie schmieden und weben. Handwerkliches Können verbindet sich mit Schönheitssinn, wie dies der großmährische Schmuck aus der Zeit vor der Ankunft der Glaubens- und Schriftzeugen Kyrill und Methodius und aus der nachfolgenden Epoche überzeugend dokumentiert. Diese Schmuckgegenstände sind Belege dafür, daß ihre Hersteller eine ganze Reihe von Techniken der Metallverarbeitung bis hin zum Gold- und Silberschmiedehandwerk meisterhaft beherrschten.

Wenn sie wirklich aus den weiten Steppen des Ostens in ihr neues Land kamen, so mußten sie zuerst mit dem Land verwachsen, um später, bereits durch es verwandelt, unmittelbar aus ihm hervorzuwachsen. Mit tausend und abertausend Kapillarien saugten sie aus ihm ihr Urwesen ein. Sie nahmen die geologische Jugend des Gebietes ebenso in sich auf wie das Erbe der Generationen, sie deponierten alles in ihren Genen und brachten es in ihre slawischaltslawische und slowakische Jugend mit ein, bis es schließlich in ihren Gedanken, Sehnsüchten, Träumen und Taten wiederkehrte.

In den Flußniederungen legten sie Äcker an, sie errichteten Erdhütten und altslawische Basiliken, mittelalterliche Städte, romanische Kirchen, Wachburgen in kettenartiger Reihung, Renaissance- und Barockschlösser und gotische Dome, in denen der Raum über die romanische Schwere des Steins triumphiert. Täler und Flüsse verbinden sie durch ein Geflecht von Straßen miteinander, die an die uralten Handelswege, wie etwa an die Salzstraße im Osten und im Westen an die Bernsteinstraße anknüpfen. Sie schmieden, weben und sticken. Mehr und mehr kultivieren sie das Land. So etwa nach dem Einfall der mongolischen Tataren und nach der 150jährigen Türkenherrschaft im südlichen Teil der Slowakei. Und jeder Einbruch, jede Katastrophe läßt sie materiell verarmen, indem ein Teil ihres in Artefakten dokumentierten kulturellen Erbes verlorengeht. Sie erleben eine Zeit, da ihr Land weltweit zu einem Drittel die Gold- und die volle Hälfte der Silberproduktion bestreitet, doch sind diese Edelmetalle nicht lange im Lande verblieben. Die Witwe des Königs Karl Robert von Anjou schaffte von hier 27 000 Pfund reinen Silbers und 21 000 Pfund reines Gold in ihre Heimatstadt Neapel und obendrein noch ein halbes Faß Kremnitzer Gulden. Eine enorme Menge war das. Es handelte sich um die Förderquote von sechs Jahren in den ungarischen Bergwerken und den Zweijahresertrag der Goldproduktion der gesamten damals bekannten Welt. Tausende herrlicher Opale aus dem Gebirge Slanské vrchy gelangten nach Wien und Budapest, nicht einmal der großartige, weltberühmte Harlekin, der bis zur Entdeckung der australischen Opalvorkommen als der größte und schönste Opal der Welt galt, blieb im Land seiner Herkunft. Allzu viele Kostbarkeiten (und nicht solche von materiellem Wert) wurden durch kriegerische Überfälle, Aufstände gegen die Feudalherren und durch Kämpfe, die das Land verheerten, verwüstet und geplündert. Und so verfügt die Nation bis heute noch nicht über eine Bilanz aller wertvollen Dinge, die sie – meist durch fremde, gelegentlich aber auch durch eigene Schuld – verloren hat:

Das verkohlte Skelett eines Affenmenschen und seines Jungen von Nováky. Die Gravierung auf einem pferdeförmig geschnitzten Knochen aus der Höhle Pec. Der Kinderzahn eines prähistorischen Menschen aus der Höhle Deravá Skala. Der Schädel eines Neanderthalers aus einer Höhle des Berges Dreveník. Gotische Altäre und Goldkodices. Kostbare kirchliche Literatur. Die in ihrer Art einmalige pferdekundliche Bibliothek von Lehnice, deren Bände in Gold und Leder gebunden sind. Die spanischen Bücher von Stará Ľubovňa. Rembrandtgemälde. Ikonen und goldene Monstranzen sowie andere Kostbarkeiten und historische Raritäten.

Und beiläufig nur ein paar Bemerkungen zur schöpferischen Kraft, die Geist und Händen der in diesem Land lebenden Menschen innewohnte. Zipser Travertinstein formte sie zur Zipser Burg, der größten Anlage ihrer Art im Lande. Sandstein türmte sie zu steil aufstrebenden gotischen Formen empor und gestaltete so den St.-Elisabethdom von Košice, die St.-Jakobskirche von Levoča und den Martinsdom in Bratislava, in dem zur Zeit der türkischen Expansion die ungarischen Könige und Königinnen gekrönt wurden. Aus altem, abgelagertem Lindenholz ließ sie den höchsten gotischen Altar der Welt entstehen, ein Werk Meister Pauls von Levoča/Leutschau. Aus Gold schuf sie Schmuck und Monstranzen, Kremnitzer Gulden und Dukaten, die heute überall in der Welt verstreut zu finden sind. Aus Kupfer die Äxte der Jungsteinzeit und die elektrischen Leitungsdrähte. Eisen aus Rudňany verwandte man für das gitarrenförmige System von Tauen, an denen eine der Bratislavaer Brücken hängt. Und schließlich schuf man aus Holz Plastiken, aus Glas großmährische Halsketten, doch auch das Petzvalsche Objektiv (nach Petzval ist einer der Mondkrater benannt).

Und wie sollten wir die volkstümlichen Handwerke unerwähnt lassen, die Erzeugnisse, die seit Jahrhunderten für den Alltagsgebrauch und zu Vergnügungszwecken hervorgebracht wurden. Wie könnte man die Volksmärchen und -lieder vergessen, in denen sich wie im Spiegel einer klaren Gebirgsquelle die breite Spanne von Träumen und Empfindungen, Sehnsüchten und Leidenschaften, von Schmerz und Freude und die unbesiegbare Vitalität der Menschen widerspiegelt, die das Erbe all jener weitertragen, die nach und nach im Karpatenbecken gelebt haben.

Das „Goldene Buch" der Slowakei will mittels der fotographischen Linse gleichsam ein Fenster öffnen, durch das man auf ein knapp 50 000 Quadratkilometer großes Gebiet Europas sehen kann. 220 Bilder von der Landschaft und dem stets durch sein Werk in ihr anwesenden Menschen. Bilder aus der Vergangeheit und der Gegenwart der Slowakei, eines Landes, mit dem das Volk verwachsen ist wie die Goldkörner im Kremnitzer Quarz.

VLADIMÍR FERKO

Vordere Umschlagseite: Das Panorama der Hohen Tatra
Hintere Umschlagseite: Die Burg von Bratislava
Vordersatz: Das zur Hohen Tatra gehörende Tal Veľká Studená dolina und Donauarme
Titelblatt: Mittelslowakisches Gebirgspanorama

7–11
Unübersehbar: die Jahresringe der Zeit.
Kaum ist die Erschaffung der Welt einigermaßen vollendet, beginnt schon der Mensch sein Werk der Veredlung und prägt bereits die Rohmasse und das Antlitz des Landes durch die Berührung seines Geistes und seiner Hände.
Mal ist es Gold und Silber, das dem Ruhm weiblicher Anmut dient, mal das Mauerwerk an einem anderen Juwel, einer präromanischen Kirche in der Ortschaft Kostoľany pod Tribečom
Spuren des Menschen, eingeschrieben in Ton und Holz, in Metall und Stein, in Wort und Seele der Heimat.

7
Teil eines Hortfundes von mehr als tausend Münzen aus der Zeit der Römischen Republik und der Epoche der Kaiser. Der Fundort befindet sich im Bereich der südslowakischen Ortschaft Vyškovce nad Ipľom (Slowakisches Nationalmuseum, Burg Bratislava).

7
Keltischer Beinring, in der südslowakischen Ortschaft Palárikovo gefunden (Slowakisches Nationalmuseum, Burg Bratislava).

7
Silbermünzen, Schmuck und Gefäße eines byzantinischen Kaufmanns, Hortfund aus Zemiansky Vrbovok, Mittelslowakei (Slowakisches Nationalmuseum, Martin).

7
Ohrringe, Halsschmuck, Knöpfe, Schalen und weitere Gegenstände aus der Zeit des Großmährischen Reiches. Fundort ist die westslowakische Ortschaft Ducové (Slowakisches Nationalmuseum, Burg Bratislava).

8
Schwertgriff, im Grab eines Slawenfürsten in der nordslowakischen Ortschaft Blatnica gefunden. (Das Original ist im Ungarischen Nationalmuseum Budapest deponiert.)

9
Burg Devín/Theben, eine ursprünglich prähistorische Burganlage, später römischer Militärstützpunkt, seit dem 9. Jahrhundert eine großmährische Burg. Im 13. Jahrhundert wurde hier eine frühgotische Burg errichtet, in der neuzeitlichen Geschichte war sie das Ziel nationaler Wallfahrten.

10
Burg Nitriansky hrad, eine ursprünglich slawisch-großmährische Burganlage. Die Burg wurde im 11. Jahrhundert auf einem Felsen errichtet, die Kathedrale nach und nach zwischen dem 13. und 17. Jahrhundert.

11
Die St. Georgskirche in Kostoľany pod Tríbečom, das älteste, als Ganzes erhaltene Bauwerk der Slowakei, offensichtlich existierte sie bereits im 10. Jahrhundert.

12
Wasseraloe (Stratiotes aloides)

13
Juwelen eines kleinen Thermalsees.

14
Großtrappe (Otis tarda).

Sumpfschildkröte (Emys orbicularis).

15
Slowakische Werft in Komárno.

Wassermühle an der Kleinen Donau/Malý Dunaj.

16–17
Ährenfeld in der Donauebene.

18
Weinberge der Kleinen Karpaten.

19
In einem Betrieb der kunsthandwerklichen Produktionsgenossenschaft von Modra, in dem Majolika und Keramikerzeugnisse hergestellt werden.

Das Jahr im Weinberg, auf den Majolikakacheln von Modra.

20
Innenraum der Universitätskirche von Trnava; der frühbarocke Hochaltar stammt aus den Jahren 1637–1640.

21
Der weltberühmte Kurort Piešťany, in dem vor allem Patienten mit Erkrankungen des Bewegungsapparates und solche, die an den Folgen von Unfallverletzungen leiden, behandelt werden: das Panorama der Kurinsel; das Rehabilitationsbecken beim Kurhaus Esplanade.

22
Der bedeutende Kurort Trenčianske Teplice, in dem vor allem Erkrankungen des Bewegungsapparates kuriert werden: Sanatorium Krym; Am Ufer des Schwanenteichs im Areal des Kurparks.

23
Burg Trenčín, ursprünglich eine Gespanschaftsburg mit Burgpalast und einem aus Ziegelsteinen errichteten Burgfried, die in der 2. Hälfte des 13. Jahrhunderts erbaut wurde. Die renovierten Gebäudeteile dienen als Museum und zu Ausstellungszwecken.

Burg Beckov, an der Wende zwischen dem 12. und 13. Jahrhundert als königliche Wachburg an der Reichsgrenze im gotischen Stil erbaut, ihr Turm ist frühgotisch; nach baulichen Umgestaltungen ist sie heute eine Ruine, die zur Zeit einer Konservierung unterzogen wird.

24
Schloß Bojnický zámok, ursprünglich eine vermutlich im späten 13. Jahrhundert errichtete Burg, gegen Ende des 19. Jahrhunderts zu einem romantischen Schloß umgebaut, dient sie heute als Museum

Schloß in Topoľčianky, ein mit Arkaden versehenes klassizistisches Gebäude aus dem 17. Jahrhundert, umgebaut und renoviert, dient es heute Museums- und Erholungszwecken.

25
Muflon (Ovis musimon)

Damwild (Dama dama)

26
Wisent (Bison bonasus)

Dachs (Meles meles)

27
Die Weißen Karpaten, ein zu den äußeren Westkarpaten gehörender Gebirgszug, der ein Landschaftsschutzgebiet darstellt.

28
Die Súľovské vrchy, eine Gebirgslandschaft im Nordwesten des Fatra-Tatra-Bereichs.

29
Burg Červený Kameň, ursprünglich eine königliche Burg, die in der Mitte des 13. Jahrhunderts zuerst schriftlich erwähnt wird; im 16. Jahrhundert wurde sie im Renaissance- und Barockstil zu einem befestigten Schloß umgebaut und dient heute musealen Zwecken: Gesamtansicht und die frühbarocke Sala terrena.

30
Schloß in Bytča mit seinen Renaissancearkaden; es wurde im 16. Jahrhundert

als befestigter Feudalsitz erbaut; der sog. Hochzeitspalast wird heute für Museumszwecke genutzt.
31
Schloß Antol; 1744 wurde das klassizistisch-barocke Gebäude als repräsentativer Herrensitz errichtet, heute ist hier ein Museum für Forst- und Jagdwesen sowie für Holzwirtschaft untergebracht, aus diesem stammt unsere Aufnahme. (Ein interessantes Detail: das Bauwerk stellt symbolisch das Kalenderjahr dar: es besitzt 4 Tore, 12 Schornsteine, 52 Zimmer und 365 Fenster).

Das Museum für Volksarchitektur in der Region Orava; es befindet sich im Ortsbereich von Zuberec auf der Bergwiese Brestová.
32–33
Der Nationalpark Malá Fatra, der zentrale Gebirgsbereich des Fatra-Tatra--Gebietes.

Der Caňon Tiesňavy, der imposante Eingang des Tales Vrátna dolina.

Der Veľký Rozsutec, 1 610 m, oberhalb von Štefanová.
34
Frauenschuh (Cypripedium calceolus)

Enzian (Gentiana clusii)
35
Läusekraut (Pedicularis Oederi)

Slowakische Küchenschelle (Pulsatilla slavica)
36
Schwarzstorch (Ciconia nigra)

Sperlingskauz (Glaucidium passerinum)
37
Luchs (Lynx lynx)

Baummarder (Martes martes)
38
Zwei unter Denkmalschutz stehende Ortschaften mit volkstümlicher Architektur: Podbiel und Vlkolínec.
39
Die Babia hora, 1 725 m, einer der meistbestiegenen Berge der Region Orava.

Der Orava-Stausee nimmt eine Fläche von über 35 km² ein und zählt im Sommer zu den am meisten besuchten Sport- und Touristikzentren.
40
Burg Oravský hrad, der gotische Bau wurde vor dem Jahre 1267 begonnen; er zählt zu den am besten erhaltenen Burgbauten der Slowakei; die renovierten Gebäudeteile dienen musealen Zwecken und als Galerie. (Ein interessantes Detail: 880 Stufen führen zur Zitadelle).
41
Die Burgruine Strečno, das Bauwerk entstand im frühen 14. Jahrhundert an einer Flußenge des Váh/Waag. Die Gegend war Schauplatz schwerer Kämpfe während des Slowakischen Nationalaufstandes, bei denen sich französische Partisanen besonders auszeichneten.
42
Das Zentrum von Žilina, dessen historischer Stadtkern unter Denkmalschutz steht.
43
Das Hauptgebäude der traditionsreichen nationalen Institution Matica slovenská in Martin; sie wurde 1863 gegründet.
44
Der Nationalfriedhof in Martin, auf dem bedeutende Persönlichkeiten, die im nationalen Leben der Slowakei eine Rolle gespielt haben, ihre letzte Ruhestätte gefunden haben.
45
Die Ľudovít-Fulla-Galerie in Ružomberok. Fulla war ein bedeutender slowakischer Maler, Graphiker, Buchillustrator und Bühnenbildner.
46–49
Ethnographisches Institut des Slowakischen Nationalmuseums in Martin: Ausstellung festtäglicher Kleidung und zeremonieller Gewänder.
50
Edelweiß (Leontopodium alpinum)

51
Gebirgshauswurz (Sempervivum montanum)
52
Wildschwein (Sus scrofa)

Braunbär (Ursus arctos)
53–57
Die Veľká Fatra, ein ausgedehntes Landschaftsschutzgebiet im Mittelteil der Slowakei.
53
Der Rakytov, 1 567 m.
54
Der Berg Čierny kameň, 1 480 m.
55
Das Tal Gaderská dolina.
56–57
Die Krížna, 1 574 m.
58–63
Das Slowakische Erzgebirge (Slovenské rudohorie), ein ausgedehntes Landschaftsschutzgebiet in der Mittelslowakei.
58
Der Klenovský Vepor, 1 338 m.
59
Die Kečovské škrapy, eine felsige Steppe mit wärmeliebenden Tier- und Pflanzenarten.
60
Der Urwald von Dobroč, ein Beispiel für die ursprünglichen Pflanzengemeinschaften des Waldes.

Bronze-Röhrling (Boletus aerus).
61
Die Zádielska dolina, eine enge Talschlucht mit reichgegliedertem Relief.
62
Die Aragonithöhle Ochtinská aragonitová jaskyňa, ihr Schmuck besteht größtenteils aus weißen strauch- und büschelförmigen Aragonitgebilden.
63
Die Höhle Domica, deren Schmuck aus Sinterplatten, trommelförmigen Gebilden und kleinen Seen besteht.
64–65
Die Talsperre Liptovská Mara befindet sich am Oberlauf des Váh und erstreckt sich über eine Fläche von etwa 27 km².
66
Das Wasserportareal von Liptovský Mikuláš.
67
Die größte der aus Holz erbauten Artikularkirchen der Slowakei befand sich in Paludza; als die Ortschaft wegen des Baus eines Wasserkraftwerks aufgelöst wurde, verlegte man die Kirche nach Liptovský Svätý Kríž.
68
Die am Fuß der Hohen Tatra gelegene Ortschaft Východná, die ein besonderes Gepräge hat, wurde zum Schauplatz des traditionellen Festivals für Volkslieder und -tänze, das sich durch eine internationale Teilnehmerschaft auszeichnet.
69
Auftritt der weltberühmten Folkloregruppe Lúčnica, eines Laienensembles.
70
Alpenmargerite (Leucanthemopsis alpina subsp. tatrae)

Alpenaster (Aster alpinus)
71
Rauhfußkauz (Aegolius funerus)

Auerhahn (Tetrao urogallus)
72–80
Der Nationalpark Niedere Tatra/Nízke Tatry, dieses Gebirge ist das nach der Hohen Tatra zweithöchste des Fatra-Tatra-Gebietes.
72
Der Ďumbier, 2 043 m, der höchste Berg der Nieder Tatra.
73
Der Chopok, 2 024 m, der meistbesuchte Berg der Niederen Tatra.
74
Der Kabinenlift von Jasná, am Fuß des Chopok.

75
Felskamm des Ohnište, eines 1 539 m hohen Bergmassivs.
76–77
Das Tal Lomnistá dolina, in dem vieles an die Zeit des Slowakischen Nationalaufstandes erinnert.
78
Die Höhle Demänovská jaskyňa Slobody, eine der schönsten und am meisten besuchten Höhlen der Slowakei, die sich durch große Pracht und Vielfalt ihrer Tropfsteingebilde auszeichnet; die Aufnahme zeigt den „Lebensbaum".
79
Auf der Riesenslalompiste des Preises Veľká cena Demänovských jaskýň; des ältesten Skiwettbewerbs in der Slowakei.
80
Der Gipfel der vielbesungenen sagenumwobenen Kráľova hoľa, 1 948 m.
81
Alpenglöckchen (Soldanella carpatica)

Stengelloses Leimkraut (Silena acaulis)
82–83
Hirsch (Cervus elaphus)
84
Schloß Zvolen, ursprünglich ein königliches Jagdschloß, im 14. Jahrhundert im gotischen Stil errichtet; nach seiner Rekonstruktion dient es musealen Zwecken und als Galerie.

Banská Štiavnica, im Feudalismus eine freie Bergbaustadt von europäischer Bedeutung; heute steht der historische Stadtkern unter Denkmalschutz. Die Aufnahme zeigt die Alte Burg/Starý zámok, eine im 16. Jahrhundert errichtete antitürkische Renaissancefestung. (Ein interessantes Detail: Im Jahre 1627 wurde in den Bergwerksgruben von Banská Štiavnica (Schemnitz) zum ersten Mal im Bergbau Schießpulver verwendet.)
85
Kremnica, eine alte Bergwerksstadt mit einer Münzstätte, in der seit 1329 Silbergroschen und später Golddukaten geprägt wurden. Die aus dem 14. und 15. Jahrhundert stammende Stadtburg samt ihrer Befestigung bildet die Dominante des unter Denkmalschutz stehenden Stadtkerns.
86–87
Banská Bystrica, die Metropole der Mittelslowakei, war in der Vergangenheit eine freie königliche Bergbaustadt; 1944 war die das Zentrum des Slowakischen Nationalaufstandes, die Aufnahme zeigt das Stadtpanorama mit dem historischen Platz des Slowakischen Nationalaufstandes.
88
Špania Dolina, eine alte Bergbaugemeinde im Gebirge Starohorské vrchy, deren volkstümliche Architektur unter Denkmalschutz steht. (Ein interessantes Detail: Im 16. Jahrhundert wurde hier eine hölzerne Wasserleitung angelegt, durch die Wasser von dem zur Niederen Tatra gehörenden Bergmassiv Prašivá hierher geleitet wurde.)
89
Čičmany, eine in den Bergen Strážovské vrchy gelegene Ortschaft mit besonderem Gepräge, deren im volkstümlichen Stil erbauten Holzhäuser unter Denkmalschutz stehen. Unsere Aufnahme zeigt ein eingeschossiges Haus, das außen mit einem weißen Dekor verziert ist, und einen bis heute erhaltenen Faschingsbrauch.
90
Zipser Krokus (Crocus scepuensis)

Gemswurz (Doronicum styriacum)
91
Würgfalke (Falco cherrug)

Steinadler (Aquila chrysaetos)

92-96
Der Nationalpark Slovenský raj/Slowakisches Paradies.
92
Die Talenge des Hornád, ein Cañontal mit 300 m Höhenunterschied.
93
Die Wasserfälle Misové vodopády im Tal Suchá Belá.
94
Die Klamm Veľký Sokol.
95
Der Karstfelsen Tomášovský výhľad.
96
Die Höhle Dobšinská ľadová jaskyňa, die größte Eishöhle der Tschechoslowakei. Unsere Aufnahme zeigt den Großen Saal/Veľká sieň. (Ein interessantes Detail: Am Boden hat das Eis eine Dicke von 25 m.)
97
Lotwurz (Onosima tornense)

Zahnlilie (Erythronium dens-canis)
98
Krásna Hôrka, eine gotische Burg aus dem 13. Jahrhundert; nach seiner Renovierung dient das Bauwerk heute als Museum.
99
Die Stadtburg von Kežmarok/Käsmark; das ursprünglich gotische Bauwerk entstand im späten 14. Jahrhundert, heute dient es als Museum. (Ein interessantes Detail: 1565 erstieg die Burgherrin von Käsmark, Beata Laski, mit ihrer Begleitung das Tal Dolina Bielej vody in der Hohen Tatra und legte so den Grundstein für die Geschichte der Touristik in der Hohen Tatra).
100–101
Die Ruinen der Zipser Burg, der größten Burganlage auf slowakischem Gebiet, mit deren Bau etwa im 12. Jahrhundert begonnen wurde. Nach baulichen Veränderungen und Erneuerungen dient sie heute musealen Zwecken.
102–105
Levoča/Leutschau, eine Stadt in der Spiš/Zips, deren historischer Kern unter Denkmalschutz steht: das Renaissancerathaus aus der Mitte des 16. Jahrhunderts; der 18,6 m hohe Hochaltar der gotischen St.-Jakobskirche, das Hauptwerk Meister Pauls, der zentralen Persönlichkeit der hier im 15. Jahrhundert gegründeten weltberühmten Holzschnitzerwerkstatt; ein Tafelbid mit einer Darstellung der Drei Könige am Vir-Dolorum-Altar, einem Flügelaltar.
106–108
Der Nationalpark Pieninský národný park im nordwestlichen Bereich der Beskyden.
106
Die Talenge des Dunajec, ein Cañontal mit zahlreichen Mäandern.
107
Der Felsengipfel Ostrá skala im Bergmassiv Haligovské skaly, dessen Spitzen Felsreliefs haben.
108
Červený Kláštor, ein im frühen 14. Jahrhundert von den Karthäusern gegründetes Kloster.
109
Gemeine Kuhschelle (Pulsatilla grandis)

Rosenwurz (Rhodiola rosea)
110–112
Košice, die Metropole der Ostslowakei und zweitgrößte Stadt der Slowakischen Republik.
110
Der gotische St.-Elisabethdom, im frühen 16. Jahrhundert vollendet.
111
Das im späten 19. Jahrhundert erbaute Staatstheater.
112
Ein Stadtteil mit Wohnsiedlungen aus jüngerer Zeit.
113
Auf dem Siegespodest des Internationalen Friedensmaratons, das in Košice seit dem Jahre 1924 veranstaltet wird.

Auf den Serpentinen der Radrundfahrt Okolo Slovenska.
114–115
Meister eines heißen Gewerbes: ein Hüttenarbeites des Košice Eisenwerks und ein Glasbläser der Glashütte von Lednické Rovne.
116
Vyšné Ružbachy, ein Kurort mit einer kohlsäurehaltigen Thermalquelle im Bergland Spišská Magura; hier werden vor allem nervliche Erkrankungen und Berufskrankheiten behandelt.
117
Der Kurort Bardejovské Kúpele im Nordosten der Slowakei, in dem vorwiegend Erkrankungen des Verdauungsapparates und der Atemwege geheilt werden.

118
Prešov, das alte Kultur- und Wirtschaftszentrum der Region Šariš: das Rathaus und Renaissancehäuser in dem unter Denkmalschutz stehenden Stadtkern; die in der Mitte des 14. Jahrhunderts errichtete gotische St.-Michaelskirche, zugleich Stadtpfarrkirche; im Vordergrund der Neptunbrunnen.
119
Der Berg Sninský kameň, 1 005 m. Mit ihm beginnt im Gebirge Vihorlat der Bogen der osteuropäischen Vulkane.
120
Knabenkraut (Orchis majalis)

Fieberklee (Menyanthes trifoliata)
121
Fischotter (Lutra lutra)

Wolf (Canis lupus)
122–123
Bardejov, der Platz des Slowakischen Nationalaufstandes innerhalb des unter Denkmalschutz stehenden Stadtkerns. (Ein interessantes Detail: 1986 erhielt die Stadt für Denkmalerneuerung den Europapreis und eine Goldmedaille.)
124–125
Einige der bedeutendsten Denkmäler volkstümlicher Holzarchitektur in der Ostslowakei: die Holzkirchen von Miroľa (Innenraum, Ansicht von außen), Jedlinka (Innenraum) und Dobroslava (Außenansicht).
126
Der 33,5 km^2 große Stausee Zemplínska šírava, eines der meistbesuchten Sport- und Erholungszentren der Ostslowakei im Sommer.
127
Trollblume (Trollius europaeus)

Hängerose (Rosa pendulina)
128–151
Der Gebirgszug der Hohen Tatra, ein Nationalpark und das bedeutendste Landschaftsgebiet der Tschechischen und Slowakischen Föderativen Republik, gegenwärtig eines der wichtigsten Landschaftschutzgebiete Europas.
128–129
Das Panorama des einzigen tschecho-slowakischen Hochgebirges.
130
Der Gerlachovský štít, 2 655 m, die höchste Erhebung der Hohen Tatra und zugleich der gesamten Tschecho-Slowakei.
131
Die Steilwände der Hohen Tatra bieten vorzügliche Bedingungen fürs Bergsteigen.
132–133
Der Kriváň, 2 494 m, symbolisiert die Freiheit der Slowaken.
134
Der See Štrbské pleso, 1 346 m, der am meisten besuchte Tatra-See.
135
Die Wasserfälle des Baches Veľký Studený potok.
136
Kabinenlifte zur Station Skalnaté Pleso, 1 751 m, einer führt weiter hinauf bis zum Gipfel des Lomnický štít, 2 632 m.
137
Das Tal Skalnatá dolina, in dem sich auf einer Meereshöhe von 1 751 m die am höchsten gelegene Siedlung der Tatra, Skalnaté Pleso, befindet.
138
Bachforelle (Salmo trutta trutta morpha fario)
139
Der Talschluß der Malá Studená dolina mit dem Gebirgsbach Malý Studený potok.
140
Herbstliches Panorama der Berge Lomnický štít, 2 632 m, Kežmarský štít, 2 558 m, und Huncovský štít, 2 415 m.
141–142
Das Gebirge Belianske Tatry: (von rechts) die Berge Ždiarska vidla, 2 146 m, Havran, 2 152 m, und Nový, 1 999 m; eines der denkmalgeschützten Objekte in Ždiar, einer Ortschaft mit spezifischem Charakter.
143–145
Das Panorama der Westtatra/Západné Tatry von der Niederen Tatra/Nízke Tatry aus gesehen; der Bergsee Tretie Roháčske pleso, 1 652 m, zu einer Gruppe von Moränenseen im Tal Roháčska dolina gehörend.
146
Das Kurhaus Helios im klimatischen Kurort Štrbské Pleso; hier werden unspezifische Erkrankungen der Atemwege geheilt.
147
Kurareal im klimatischen Kurort Nový Smokovec; hier behandelt man vorwiegend Erkrankungen der Atemwege.
148
Das Sportareal von Štrbské Pleso, Schauplatz bedeutender Skiwettbewerbe: der Weltmeisterschaft (1935, 1970), der Winteruniversiade (1987), des traditionellen Tatranský pohár/Pokal der Tatra sowie weiterer Skiveranstaltungen.
149
Eine Skischule für Kinder in Starý Smokovec.
150
Gemse (Rupicapra rupicapra tatrica)

Murmeltier (Marmota marmota tatrica)
151
Zirbelkiefer (Pinus cembra)

Preiselbeere (Vaccinum vitis-idala)
152
Berghähnlein (Anemone narcissiflora)

Schwalbenwurz-Enzian (Gentiana asclepiadea)
153
Weiße Kuhschelle (Pulsatille alba)

Zwerg-Schlüsselblume (Primula minima)
154–177
Bratislava, die Hauptstadt der Slowakischen Republik, in der der Slowakische Nationalrat, die Regierung der Slowakischen Republik, sowie die zentralen politischen, staatlichen, wirtschaftlichen, gesellschaftlichen, kulturellen und wissenschaftlichen Behörden und Institutionen der Slowakei und konsularische Vertretungen ihren Sitz haben.
154–155
Abendliches Panorama mit Burg und Donau.
156
Die Bratislavaer Burg; der monumentale (heute renovierte) Burgkomplex symbolisiert eine mehr als tausendjährige Geschichte der Slowaken. Hier befindet sich die Schatzkammer der nationalen Kultur in den Sammlungen des Slowakischen Nationalmuseums. Ebenso gibt es im Burgpalast die Repräsentationsräume des Slowakischen Nationalrates sowie des Präsidenten der Tschechischen und Slowakischen Föderativen Republik.
157
Eine Ausstellung gotischer Kunst der Slowakei (Slowakisches Nationalmuseum, Burg).
158–159
Der Martinsdom, die im 14. und 15. Jahrhundert erbaute gotische Stadtpfarrkirche und Krönungskirche der ungarischen Herrscher. Außenansicht und Hochaltar.
160
Matthias Donner: Maria Theresia, Revers einer Preßburger Krönungsmedaille aus dem Jahre 1741 (Slowakischen Nationalmuseum, Burg).
161
Ehemaliges Palais der Königlichen Kammer, aus der Mitte des 18. Jahrhunderts stammend. Hier fanden die Sitzungen des ungarischen Parlaments statt, heute befindet sich hier die Universitätsbibliothek.
162
Die Straße Baštová ulica / Basteigasse, eine der ältesten Straßen der Stadt, die zugleich zu den am besten erhaltenen Teilen der Stadtbefestigung gehört.
163
Fassade des städtischen Rathauses mit ihrem Turm; das ursprünglich gotische Gebäude wurde im 14. und 15. Jahrhundert errichtet. Im Mittelalter hatte hier die Stadtverwaltung ihren Sitz, heute befinden sich hier Austellungen des Städtischen Museums.
164
Das Primatialpalais (vor seiner Rekonstruktion); das klassizistische Repräsentationsgebäude wurde zwischen 1777 und 1781 errichtet. (Ein interessantes Detail: Nach der Schlacht von Austerlitz, im Jahre 1805, unterzeichneten

im Spiegelsaal des Palais Vertreter Frankreichs als Sieger und Österreichs als Besiegte den sog. Preßburger Frieden.)
165
Das Haus zum Guten Hirten, ein Rokokogebäude, das zu den Kostbarkeiten des historischen Stadtkerns zählt.
166
Das 1783 errichtete Gebäude des alten evangelischen Lyzeums, in dem zahlreiche hervorragende Vertreter der slowakischen Intelligenz ihre Bildung und Erziehung erwarben.
167
Die Redoute, der Konzertsaal der Slowakischen Philharmonie und Hauptschauplatz der Bratislavaer Musikfestspiele.
168
Ein Konzert auf dem Rathausturm, zur Eröffnung der kulturellen Sommerveranstaltungen.
169
Das Gebäude des Slowakischen Nationaltheaters, 1886 errichtet.
170
Das Haus des Slowakischen Rundfunks, 100 Jahre später erbaut.
171
Innenraum der Slowakischen Nationalgalerie, einer Dachorganisation, der im gesamtnationalen Rahmen das Sammeln von Kunst obliegt.
172
Der Judenfriedhof im Areal des Burgberges.
173
Studentenwohnheime im Stadtteil Mlynská dolina.
174
Stadtzentrum, Platz Kamenné námestie.
175
Stadtzentrum, Platz des Slowakischen Nationalaufstandes/Námestie Slovenského národného povstania.
176
Das Areal des Winterhafens, im Hintergrund die Brücke Most Hrdinov Dukly.
177
Feuerfackel und Lichter des petrochemischen Kombinats Slovnaft.
178–189
Durch die Jahresringe der Zeit strahlt schon ein heller Spalt.
Die Nebel haben sich gelichtet, der Dämmer der Jahrhunderte weicht.
Wir kennen bereits alle Gesichter der bedeutenden Persönlichkeiten unserer Geschichte, wir sehen bereits ihre historischen Taten, die uns in die Gegenwart hineingeführt haben, die durch die Schwelle des dritten Jahrtausends markiert ist.
179
Uhrovec: das Geburtshaus von Ľudovít Štúr, der führenden Persönlichkeit der slowakischen nationalen Erneuerung. (Ein interessantes Detail: 106 Jahre später wurde in diesem Haus Alexander Dubček geboren, eine führende Persönlichkeit der erneuten tschecho-slowakischen Wiedergeburt.
180
Myjava: Gedenkstätte des Slowakischen Nationalrates und des Kommandostabs des slowakischen Aufstandes der Jahre 1848–1849. Heute befindet sich in dem Haus das Museum des Slowakischen Nationalrates; Gesamtansicht und Innenraum.
181
Grabstätte Milan Rastislav Štefániks auf dem Berg Bradlo. Štefánik war eine führende Persönlichkeit des tschecho-slowakischen Widerstands im Ausland und zugleich maßgebend an der Schaffung des tschecho-slowakischen Staates beteiligt.
182
Denkmal des Prosadichters Martin Kukučín, dessen Werk zu den bedeutendsten Werten der slowakischen realistischen Prosa zählt; das Denkmal befindet sich im Park Medická záhrada in Bratislava.
183
Denkmal des Dichters Pavol Országh Hviezdoslav, eines der Großen der slowakischen Literatur, am gleichnamigen Platz in Bratislava.
184
Gedenkstätte und Museum des Slowakischen Nationalaufstands in Banská Bystrica.
185
Gedenkstätte im Areal des Schlachtfeldes auf dem Dukla-Paß, der im Zweiten Weltkrieg Schauplatz der blutigen Karpaten-Dukla-Operation war.
186
Denkmal des bedeutenden slowakischen Politikers, Staatsmannes und Publizisten Vladimír Clementis in seinem Geburtsort Tisovec, vor der nach ihm benannten Schule.
187
Der Platz des Slowakischen Nationalaufstandes/Námestie Slovenského národného povstania in Bratislava am 22. November 1989, einer der bestimmenden Schauplätze der „Sanften Revolution“.
188–189
Im Bereich der österreichischen Gemeinde Hainburg am 10. Dezember 1989: der erste freie Blick freier tschechischer und slowakischer Bürger der Tschecho-Slowakei auf die uralte Burg Devín.

LIBRO DE ORO DE ESLOVAQUIA

INVITACIÓN

Cual ciclópea ballesta se cimbrea el gran arco carpático en las entrañas de Europa tensado por la cuerda del Danubio. Una muralla de montañas encadenadas, y bajo ella la amplia llanura carpática: su parte septentrional constituye Eslovaquia, casi cincuenta mil kilómetros cuadrados de superficie terrestre. Las altas montañas Vysoké Tatry (Altos Tatras) la delimitan al norte; los ríos Danubio e Ipeľ, al sur.

En este pedazo de tierra la naturaleza reúne condiciones favorables, incluso exuberantes, para las plantas, animales y personas. En las vegas del sur, al lado del Danubio, se extienden bosques vírgenes, muestras de las junglas más septentrionales; al suroeste del área de Záhorie, un pequeño Sáhara, con dunas móviles; en el Parque Natural de Slovenský raj (Paraíso Eslovaco) un increíble paisaje invernal. En otros lugares, ciudades de piedra, amplios valles y angostos cañones y desfiladeros, maravillosos durante todas las estaciones del año. En Slovenský kras (Karst Eslovaco), decenas de precipicios, subsuelos agujereados como un queso de gruyère, manantiales susurrantes; al sur, salinas, zonas pantanosas y estepas; al norte, prados alpinos, rocas en forma de setas, derrames de basalto de volcanes ya antaño apagados. En total, seis grados vegetales: desde los de la llanura hasta los de las altas montañas. El plegamiento alpino y hercino dejaron aquí sus apasionados arabescos, el terreno diversamente dividido, horizontal y verticalmente. El maquillaje final en la cara del paisaje es obra geológica del orogeno alpino, que redujo singularmente el carácter tectónico de la era anterior y lo preparó para la llegada del hombre, incluso para que tuviera también dónde hendir su arado neolítico.

Los procesos de formación de montañas solamente en la cumbre del gran arco carpático elevaron cincuenta kilómetros cúbicos de granito hasta llegar al límite de las nieves eternas. En Europa Central culminaron así su propia dominante, combinada además con calizas, residuos de los mares prehistóricos que aquí murmuraron una parte de la eternidad. Y hasta hoy a uno la hace feliz la intuitiva y a la vez consciente alegría de que el tiempo no ha conseguido todavía pulirlos en mesetas, que en sus valles hay todavía restos de la era terciaria: rápidos antílopes de montaña llamados rebecos, marmotas, que en otros tiempos se cazaban por las propiedades medicinales de su grasa. Podemos ver la majestuosa águila y un córvido proveniente de la época de las glaciaciones, que sigue sembrando con éxito los cedros, de la edad terciaria, y sobresalen por encima de la frontera del bosque. Alrededor, una flora maravillosa, con recuerdos también del período geológico anterior. Y por doquier frescura, despeñaderos de granito, muros de calizas y amplios y silenciosos valles del norte. Gran cantidad de montañas encadenadas: cada una diferente. Strážovské vrchy es la localidad con mayor presencia de orquídeas en Europa, las montañas volcánicas ofrecen una particular variedad de fenómenos, incluida una imponente caldera, profunda, en el pico Poľana; otros ofrecen generosamente fantásticas grutas, incluso aquellos que ocupan un lugar destacado en la historia de la humanidad.

Se nos presenta una significativa distribución continental: el límite norte de la vid, del castaño y de otras plantas. De entre más de tres mil tipos de plantas hay alrededor de tres mil musgos. Varios proceden de la zona panónica, otros tienen su origen en los Cárpatos Orientales o en los Balcanes; el botánico fácilmente halla también cierta emigración vegetal del norte. Es una auténtica encrucijada de animales, plantas y gentes. No se pueden contar los grupos étnicos que por aquí pasaron y hallaron su hogar provisional. En estas tierras se encontraron con la simpatía de la mayoría, y tras muchos de estos grupos han quedado huellas bastante elocuentes.

En Gánovce, en las montañas Altos Tatras, un cantero saca de un montón de calcáreas el cerebro petrificado de un neandertalense, que hace ciento cincuenta mil años se había ahogado en un pequeño lago termal, y en la ribera del río Váh un pescador descubre en una terraza de grava la mandíbula de un neandertalense. Estos dos hallazgos anunciaban algo primordial: que aquí se podía vivir.

En la antigua Edad de Piedra la madre sepultaba a su hijo en la gruta de los Pequeños Cárpatos llamada Deravá skala (Roca agujereada) y lo cubre con un trozo de latón de cobre... El cazador del período magdaliense, utilizando huesos y colmillos de mamut (entonces no fosilizado todavía) talla la estatuilla Venus de Moravany (una de cuyas partes permanece en el Museo del Hombre en París), y en el subsuelo de Slovenský kras el hechicero primitivo baila sus danzas mágicas con una máscara de ciervo. Magna Mater, la madre del castillo de Nitra, se sienta en su trono de arcilla levantando sus manos en un gesto de adoración, semejante a la Venus de la localidad de Krásno, obra culminante – y, curiosamente, ya abstracta – de la prehistoria eslovaca.

Ante nosotros desfilan ídolos y venus de diferentes lugares de Eslovaquia, joyas y armas, cerámica, urnas con cenizas de hombres remotos; pero también tesoros que la gente enterró en la tierra, porque en los momentos más difíciles siempre creían y confiaban en la tierra. Busquemos el sentido y significado de estos artefactos materiales, elevémoslos al rango de amuletos mágicos: al menos por un momento podremos saber cómo sentían y pensaban los antepasados remotos de la gente de este país.

El tiempo fluye constante e infatigablemente en una única dirección. Silenciosamente afecta a las cosas, a las personas del país: roe, construye, destruye, forma, hinca ríos en las mesetas, sedimenta su limo en los aluviones. Descompone una capa de doce metros de polvo en los diferentes focos de culturas antepasadas. El pico Slavkovský štít, en su tiempo la cima más alta de las montañas Altos Tatras, en un momento dramático lo recorta y disminuye en trescientos metros. Entrelaza el subsuelo con aguas minerales y medicinales, que rompen en la superficie en forma de miles de manantiales. En las capas de calizas sedimentadas conforma con las dolomitas verdaderos templos goteantes, salas encantadoras, laberintos y precipicios, gotea gota a gota, minutos, años, milenios. De este modo crea Domica, único asentamiento de la cultura primitiva, roe y adorna el largo sistema de más de veinte kilómetros de las grutas de Demänovka, en las que, por la belleza de sus colores y formas, se le corta la respiración al visitante. Empapa de agua, como si de esponjas se tratara, los aluviones de la vega del Danubio, como si pensara en la sed de las futuras generaciones. En el subsuelo de los balnearios de yodo y bromo Číž y en la localidad Oravská Polhora guarda aguas saladas del mar que en otros tiempos cubriera esas tierras, y en el noroeste de Eslovaquia, en la localidad Turzovka-Korňa, incluso hoy podemos llenar un un frasco de petróleo rojizo del único manantial natural de Europa Central.

Los volcanes terminaron de derramar el magma incandescente por la verde naturaleza. Los vientos soplaron arrastrando polvo, arena y otras partículas hasta formar la llamada Trnavská tabuľa. Los glaciares dejaron sus últimos rasguños en los granitos de los Tatras, y en las dunas arenosas de más allá de las montañas empezaron a germinar numerosos pinos.

En el subsuelo ya estaban sedimentadas las riquezas minerales:

oro y plata; hierro y plata; mercurio y antimonio; travertino y mármol; sal y magnesita; y también la chispeante piedra preciosa ópalo en las montañas que después se han dado en llamar Slanské vrchy. Y, así como en la tierra se fueron formando diversas capas con el paso del tiempo, en la memoria de los habitantes se fue depositando la experiencia, hasta convertirse en sabiduría. Alternan tribus, culturas, períodos. La Historia se teje, se anuda, una cultura influye a otra. Por encima de esta tierra susurró el paleolítico, pasó el neolítico y su revolución, transcurrió la edad de bronce, hasta llegar el período romano, del cual también quedan en Eslovaquia numerosos restos. El Limes Romanus: fortificación fronteriza del imperio romano. Estelas mortuorias. La famosa inscripción en una roca de Trenčín donde los romanos alcanzaron el punto más septentrional de su expansión. También, al fin y al cabo, el primer libro escrito precisamente en la ribera del Hron, hermoso río que ha conservado su nombre de épocas remotas. Título del libro: Conversaciones conmigo mismo. Autor: el emperador romano Marco Aurelio.

La escena geológica e histórica ya está preparada. Los antiguos eslavos predecesores de los eslovacos de hoy día penetraron a través de los cañones, desfiladeros y vegas de los ríos en una tierra, de la cual una parte fue registrada en un mapa alrededor de mil años antes por el griego Anaximandro, y después por Claudio Ptolomeo. Los antepasados de los eslovacos penetran en tres oleadas en la llanura carpática, una tierra con suficiente calor y agua, defendida por las murallas de las montañas contra los vientos del norte, una tierra que ofrecía todo lo que poseía: aguas cristalinas en lagos y fuentes, ríos llenos de peces y navegables, montes abundantes en caza, riqueza de madera y piedra y tierras negrizas y pardas suficientemente fértiles. La emigración de los pueblos o invasión de los bárbaros va terminando, y los antepasados de los actuales habitantes de Eslovaquia se asientan aquí definitivamente con el fin de obtener un nuevo hogar, una nación, un pueblo. Son cazadores y pastores, agricultores y artesanos. Construyen cabañas de madera, empalizadas, murallas. Vigilan los cañones y desfiladeros, labran la tierra, extraen minerales, funden metales, forjan el hierro, tejen. Aúnan la habilidad artesana con el tacto y el gusto estético, como nos lo demuestran las joyas procedentes de la Gran Moravia antes de la llegada de los misioneros que trajeron la escritura y el cristianismo, San Cirilo y San Metodio, y las de después. Constituyen una prueba evidente de la maestría con que dominaban toda una serie de técnicas para trabajar los metales, pero sobre todo la más importante: la confección de joyas de oro y plata.

Si en verdad llegaron a su nuevo hogar de las extensas estepas del este, tuvieron que vivir en una tierra, para después, ya influidos por ella, crecer en dicho territorio. De aquella tierra, con miles de capilares, extraían su más profunda esencia. Absorbían la juventud geológica del territorio y la herencia de las generaciones, la introducían en sus genes, en su juventud eslava, eslovaca, para que de nuevo volviera a sus ideas, pasiones, sueños, y también a sus acciones.

A ambos lados de los ríos labran las vegas, construyen basílicas eslavas, ciudades medievales, iglesias románicas, cadenas de imponentes castillos medievales, castillos y palacios renacentistas y barrocos, catedrales góticas, en las que el espacio triunfa sobre el peso de la piedra. Unen valles y ríos a través de una red de caminos que enlazan con las vías más antiguas, incluido el Camino de la Sal en el este y el Camino del Ámbar en el oeste. Forjan metales, tejen, bordan paños. Con el paso del tiempo van progresando y floreciendo cada vez más, tanto después de la invasión de los tártaros-mongoles, como después de siglo y medio de dominio turco en el sur de Eslovaquia. Y cada invasión, cada cataclismo los empobrece materialmente, al perder una parte de la herencia cultural cristalizada en manufacturas y artefactos y obras de arte. Llegan a vivir una época en la que su tierra contribuye a la producción mundial de oro con una tercera parte, y a la producción de plata con la mitad. Sin embargo, esos dos metales preciosos hallaron rápidamente el camino fuera de las fronteras de Eslovaquia. La viuda del rey Carlos Roberto se llevó de aquí a su tierra natal, Nápoles, 27.000 talentos de plata pura y 21.000 talentos de oro puro; y, por si fuera poco, medio tonel de florines de Kremnica, ciudad donde se acuñaba moneda. Una enorme cantidad: suponía la extracción total de seis años en las minas húngaro-eslovacas y la explotación de oro durante dos años en todo el mundo entonces conocido. Miles de hermosos ópalos de Slanské vrchy llevaron rumbo a Budapest y a Viena; incluso Harlekyn, el ópalo más bello y más grande del mundo hasta el descubrimiento de las minas de ópalo australianas, no permaneció en su lugar de origen. Numerosos objetos valiosos, así como valores culturales, fueron destruidos y devastados por las invasiones, levantamientos antifeudales, las guerras en que se vio envuelto el país, el cual no dispone del balance de todo lo valioso que perdió por causa ajena, pero también y a menudo, por culpa propia.

Esqueleto de un pitecántropo con su pequeño, de las minas de lignito de Nováky. Relieve en hueso que presenta la forma de un caballo, de la gruta de Pec. Diente de un niño prehistórico, de la gruta Deravá skala. Cráneo de un neandertalense, de la gruta que se halla en la montaña Dreveník. Altares góticos y códices de oro. Valiosa literatura religiosa. Única biblioteca hipológica de Lehnice, en piel y oro. Libros encuadernados en castellano, de Stará Ľubovňa. Cuadros de Rembrandt. Custodias e iconos de oro. Y otros objetos de valor y curiosidades históricas, como la cuna de ébano de Gabčíkovo, en la que acunaron a José II, llamado el rey de los sombreros.

Y ya, sin más demora, conviene hacer notar la fuerza creativa del espíritu y manual del hombre que habita estas tierras. Elevó la calcárea de Spiš a la categoría de castillo, el más alto de su país. La arenisca la elevó al empinado gótico en la Catedral de Santa Isabel de Kosice, en la Catedral de Santiago en Levoca y en la Catedral de San Martin de Bratislava, donde coronaron a los reyes húngaros en tiempos de la expansión húngara. Convirtió viejos tilos en el altar gótico más alto del mundo por obra del maestro Pablo de Levoča. El oro lo transformó en joyas, custodias, florines y ducados, esparcidos por todo el mundo. El cobre toma la forma de hachas neolíticas y alambres conductores de electricidad. El hierro de las minas de Rudno lo convierte, como si de cuerdas de guitarra se tratara, en un conjunto de cables de los que cuelga uno de los puentes de Bratislava. La madera toma la forma de estatuas y figuras plásticas, el cristal se transforma en collares de la Gran Moravia, y también en el objetivo de Petzval (un cráter de la Luna lleva su nombre).

Por otra parte, ¿cómo no hablar de los oficios artesanos y de los multiformes productos para el uso y la admiración? ¿Cómo no mencionar las leyendas populares y las canciones, en las que, como en el espejo cristalino de las aguas de las montañas, se refleja una amplia gama de sueños y sentimientos, deseos y pasiones, tristezas y alegrías, la vitalidad insuperable de la gente, heredera y portadora de todo lo que pasó por estos lares?

El Libro de Oro de Eslovaquia ofrece una ventana abierta bajo el prisma de la cámara fotográfica, por la que podemos atisbar los casi 50.000 kilómetros cuadrados de Europa. Doscientas veinte vistas de la naturaleza y del hombre, siempre presente en ella con su obra; vistas del pasado y del presente de Eslovaquia, país en el que sus habitantes están incrustados como granos de oro en el cuarzo de Kremnica.

VLADIMÍR FERKO

En la primera cara de la cubierta, panorama de las montañas Altos Tatras; en la parte trasera de la cubierta, panorama del Castillo de Bratislava. En las contracubiertas, valle Veľká Studená Dolina en los Tatras, y meandros del Danubio. En la página titular, panorama de las montañas de Eslovaquia Central.

7–11
Confusos anillos del tiempo.

Apenas finaliza la formación del mundo, el hombre ya empieza a hacer injertos; con el toque de su cerebro y de sus manos marca la materia prima y la imagen del paisaje.

Unas veces el oro, la plata van destinados a celebrar el encanto de la mujer, otras, constituye muros de otras joyas: iglesia prerrománica de la localidad Kostoľany pod Tríbečom...

Huellas del hombre marcadas en la arcilla y en la madera, en el metal y en la piedra, en la palabra y en el espíritu del terruño natal.
7
Parte de un hallazgo masivo de más de mil monedas de tiempos de la república romana y del imperio romano, en el catastro de la localidad de Eslovaquia del Sur Vyškovce nad Ipľom (Museo Nacional Eslovaco, Castillo de Bratislava).
7
Aro celta del yacimiento de la localidad de Eslovaquia del Sur Palárikovo (Museo Nacional Eslovaco, Castillo de Bratislava).
7
Monedas de plata, joyas y recipientes de un comerciante bizantino, pertenecientes al hallazgo de la localidad de Eslovaquia Central Zemiansky Vrbovok (Museo Nacional Eslovaco, Martin).
7
Pendientes, collares, botones, fuentes y otros objetos de la época de la Gran Moravia; yacimiento de la localidad de Eslovaquia Occidental Ducové (Museo Nacional Eslovaco, Castillo de Bratislava).
8
Mango de espada del hallazgo de una tumba de un magnate eslavo en la localidad de Eslovaquia del Norte Blatnica (el original está depositado en el Museo Nacional Húngaro de Budapest).
9
Castillo Devín, primeramente fortificación prehistórica, después estación militar romana, desde el siglo IX fortificación de la Gran Moravia, en el siglo XIII se levantó un castillo en gótico primitivo, en la historia moderna ha sido y es el destino, la meta de muchas peregrinaciones nacionales.
10
Castillo de Nitra, en su origen fortificación eslava de la Gran Moravia, castillo construido encima de una roca en el siglo XI; la catedral se construyó progresivamente desde el siglo XIII hasta el siglo XVII.
11
Iglesia de San Jorge en la localidad Kostoľany pod Tribečom, primera arquitectura entera conservada en Eslovaquia. Al parecer ya existía en el siglo X.
12
Hydrocharitaceae aloides
13
Joyas de un pequeño lago termal
14
Avutarda (Otis tarda)

Tortuga de los pantanos (Emys orbicularis)
15
Astilleros eslovacos en Komárno.

Molino en el llamado Malý Dunaj.
16–17
Espigas de la llanura transdanubiana.
18
Viñedos de los Pequeños Cárpatos.
19
En la cooperativa de Modra donde se fabrican mayólicas y cerámicas.

Año vinícola, en baldosines de mayólica de Modra.

20
Interior de la iglesia de la Universidad de Trnava, donde podemos ver el altar mayor, barroco inicial, de los años 1637–1640.
21
Piešťany, balnearios conocidos en todo el mundo, donde se curan las enfermedades del aparato motriz y tiene lugar una óptima reconvalescencia: panorama de la isla-balneario; piscina de rehabilitación al lado de la casa balneario Esplanade.
22
Trenčianske Teplice, famosos balnearios para la cura de las enfermedades de las articulaciones: sanatorio Krym; al lado del Lago de los Cisnes en el complejo Parque de los Balnearios.
23
Castillo de Trenčín, en su origen castillo de la comarca, con su palacio y su torre de ladrillo, construido en la segunda mitad del siglo XIII. Las salas reconstruidas se utilizan como museo y como salas de exposiciones.

Castillo de Beckov. Tiene su origen entre los siglos XII y XIII como castillo real fronterizo para vigilar al enemigo. Era gótico, con una torre del gótico más antiguo. Se han conservado sus ruinas, después de algunos arreglos.
24
Castillo de Bojnice; en su origen castillo construido probablemente a finales del siglo XIII. A finales del siglo XIX fue reconstruido y convertido en un castillo romántico. Se utiliza como museo.

Palacio de Topoľčianky, palacio clasicista con arcadas del siglo XVII, retocado y aumentado. Se utiliza como museo y como centro de descanso.
25
Muflón común (Ovis musimon)

Gamo (Dama dama)
26
Bisonte europeo (Bison bonasus)

Tejón (Meles meles)
27
Biele Karpaty (Cárpatos Blancos), parque natural, montes de los Cárpatos Occidentales.
28
Súľovské vrchy, conjunto paisajístico de montaña en la parte noroccidental de la región Fatra-Tatras.
29
Červený Kameň, en principio castillo real, documentado por escrito a mitad del siglo XIII; en el siglo XVI convertido en castillo renacentista-barroco fortificado. En la actualidad sirve de museo. Vista general y sala del primer barroco.
30
Castillo-palacio renacentista con arcadas en Bytča, construido en el siglo XVI como sede feudal fortificada. El Salón de Bodas se utiliza como museo.
31
Palacio barroco-clasicista de Antol, construido en 1744 como sede representativa. Actualmente sirve de museo del bosque, madera y caza, del que es nuestra fotografía. Una curiosidad: el edificio simboliza el año; tiene 4 puertas, 12 chimeneas, 52 habitaciones y 365 ventanas.

Museo de arquitectura popular de la región de Orava, en el término municipal de Zuberec, en Brestová.
32–33
Parque Natural Malá Fatra, núcleo de la región Fatra-Tatra.

Cañón Tiesňavy, impresionante entrada al valle Vrátna dolina.

Veľký Rozsutec, 1610 m, sobre la localidad Štefanová.
34
Cypripedium calceolus

Gentiana clusii
35
Pedicularis oederi

Pulsatilla slavica

36
Cigüeña negra (Ciconia nigra)

Glauciduim passerinum
37
Lince (Lynx lynx)

Marta (Martes martes)
38
Dos reservas de arquitectura popular: Podbiel y Vlkolínec.
39
Babia hora, 1725 m, una de las montañas más visitadas en la región de Orava.

El pantano de Orava se extiende por una superficie de 35 km^2 y pertenece a uno de los centros de deportes de verano y de montañismo más visitados.
40
Castillo gótico de Orava, fundado antes de 1267, uno de los castillos medievales mejor conservados en Eslovaquia. Las partes renovadas sirven como museo o salas de exposiciones. Una de sus curiosidades es que a la ciudadela conducen 880 escalones.
41
Ruinas del castillo de Strečno, construido en un desfiladero sobre el río Váh a principios del siglo XIV. Sus contornos han sido testigos de grandes combates durante la Insurrección Nacional Eslovaca, en los que destacaron singularmente los partisanos franceses.
42
Centro de la ciudad Žilina. Su núcleo histórico se ha convertido en una reserva de monumentos.
43
Edificio principal de la tradicional institución nacional Matica slovenská de Martin, fundada en 1863.
44
Cementerio nacional de Martin, lugar donde reposan los restos de los políticos y personajes más importantes de Eslovaquia.
45
Galería del famoso pintor, ilustrador, dibujante y escenógrafo eslovaco Ľudovít Fulla en Ružomberok.

46–49
Instituto Etnográfico del Museo Nacional Eslovacoi en Martin: exposición de vestidos populares, vestidos de fiesta y de gala.
50
Leontopodium alpinum
51
Siempreviva de montaña (Sempervivum montanum)
52
Jabalí (Sus scrofa)
Oso pardo (Ursus arctos)
53–57
Veľká Fatra, extensa zona con carácter de reserva en la parte central de Eslovaquia.
53
Monte Rakytov, 1567 m.
54
Monte Čierny kameň, 1480 m.
55
Valle Gaderská dolina.
56–57
Monte Krížna, 1574 m.
58–63
Slovenské rudohorie, extensa zona protegida en la parte central de Eslovaquia.
58
Monte Klenovský Vepor, 1338 m.
59
Kečovské škrapy, estepa rocosa con flora y fauna que habita los lugares secos.
60
Dobročský prales, bosque virgen, muestra de las antiguas agrupaciones de foresta.

Boleto de bronce (Boletus aereus)
61
Valle Zádielska dolina, estrecho desfiladero con diverso relieve.
62
Ochtinská jaskyňa, gruta de aragonito, adornada sobre todo con blancos aragonitos en forma de penachos y de pequeños arbustos.
63
Jaskyňa Domica, gruta adornada con escudos, tambores de sedimentos y pequeños lagos.
64–65
El pantano de Liptovská Mara, en la parte alta del río Váh, ocupa una superficie de 27 km^2 aproximadamente.
66
Centro de deportes acuáticos en Liptovský Mikuláš.
67
La iglesia de madera más grande de Eslovaquia estaba en la localidad de Paludza. Tras su desaparición, como consecuencia de la construcción del pantano, la trasladaron a Liptovský Svätý Kríž.
68
Localidad típica de debajo de los Tatras, Východná se ha convertido en la sede tradicional del festival de canciones y bailes populares, que cuenta con participación internacional.
69
Actuación del famoso grupo folklórico Lúčnica, conocido en gran parte del mundo.
70
Leucanthemopsis alpina subsp. tatrae

Astra alpina (Aster alpinus)
71
Aegolius funereus

Urogallo (Tetrao urogallus)
72–80
Parque Nacional Nízke Tatry (Bajos Tatras), después de los Altos Tatras, las montañas más altas de la región Fatra-Tatra.
El pico más alto de la sierra, Ďumbier, 2043 m.
Chopok, 2024 m, gracias a los medios de transporte de montaña, el pico más visitado de estas montañas.
Funicular de Jasná.
Conjunto de peñas Ohnište, 1539 m.
Valle Lomnistá dolina, conocida sobre todo a partir de la Insurrección Nacional Eslovaca.
Cueva Demänovská jaskyňa Slobody, la cueva más hermosa y más visitada de todas las grutas eslovacas. Destaca por la cantidad, variedad y brillo de las formas goteantes. En la fotografía, Árbol de la Vida.
79
En el trazado del slalom gigante del Gran Premio de Demänovské jaskyne, la competición de esquí más antigua de Eslovaquia.
80
Cima de la legendaria y famosa nava Kráľova hoľa, 1948 m.
81
Soldanella carpatica

Silena acaulis
82–83
Ciervo europeo (Cervus elaphus)
84
Castillo de Zvolen, en un principio castillo gótico real de caza, construido en el siglo XIV. Tras su reconstrucción, sirve de museo y sala de exposiciones.

Banská Štiavnica. En tiempos del feudalismo ciudad minera libre, de categoría europea; en la actualidad, conjunto histórico nacional. En la imagen, castillo antiguo, fortificación renacentista contra los turcos, construida en el siglo XVI. Una de las curiosidades es que en el año 1627 utilizaron por primera vez en las minas de esta ciudad pólvora.
85
Kremnica, ciudad minera antigua y lugar donde se acuñaba moneda. En el año 1329 acuñaron monedas de plata, y más tarde ducados de oro. El complejo del castillo del siglo XIV-XV está amurallado y constituye el punto

dominante del conjunto histórico nacional.
86–87
Banská Bystrica, metrópolis de Eslovaquia Central. En el pasado fue ciudad minera real y libre; en 1944 centro de la Insurrección Nacional Eslovaca. Panorama de la ciudad; plaza histórica de la Insurrección Nacional Eslovaca.
88
Španía Dolina, antigua localidad minera en Starohorské vrchy, reserva de construcción popular. Curiosidad: en el siglo XV fue construido un acueducto de madera bajo Prašivá en los Bajos Tatras (Nízke Tatry).
89
Čičmany, pueblo típico y reserva de arquitectura popular en Strážovské vrchy. En imágenes, casa de madera de varias plantas con adornos exteriores blancos y una de las costumbres de carnaval conservadas hasta hoy día.
90
Azafrán de Spiš (Crocus scapuensis)

Doronicum styriacum
91
Halcón (Falco cherrug)

Águila real (Aquila chrysaetos)

92–96
Parque Nacional Slovenský raj (Paraíso Eslovaco).

92
Desfiladero Hornád, valle acañonado con una diferencia de altura de trescientos metros.
93
Cascadas en el valle Suchá Belá.
94
Desfiladero Veľký Sokol.
95
Peñascos en Tomášovský výhľad.
95
Dobšinská ľadová jaskyňa, la gruta de hielo más grande de Checo-Slovaquia. En la imagen Sala Grande. Como curiosidad cabe mencionar que el suelo de hielo tiene un grosor de 25 m.
97
Onosima tornense

Erythronium dens-canis
98
Krásna Hôrka, castillo gótico conservado. Fue construido en el siglo XIII y reconstruido posteriormente. Actualmente sirve como museo.
99
Castillo de la villa de Kežmarok, en su origen gótico; fue construido a fines del siglo XIV. En la actualidad sirve de museo (Curiosidad: la señora del castillo de Kežmarok Beata Laski y su séquito bajó en 1565 al valle Dolina Bielej Vody en los Altos Tatras, y así comenzó la historia del excursionismo por los Tatras).
100–101
Ruinas del Castillo de Spiš, el castillo medieval más amplio dentro de Eslovaquia, construido quizás en el siglo XII y reconstruido y ensanchado más tarde. Actualmente sirve como museo.

102–105
Levoča, ciudad de la región Spiš, conjunto artístico nacional: Ayuntamiento, edificio renacentista de mitad del siglo XVI; altar mayor de la iglesia gótica de Santiago, 18,6 m de alta, obra cumbre del Maestro Pavol, personaje sobresaliente en la talla de madera, efectuada en su taller, fundado en el siglo XV; tabla pintada Adoración de los Reyes Magos en el altar lateral Vir dolorum.
106–108
Parque Nacional Pieniny, en la parte noroccidental de Východné Beskydy.
106
Prielom Dunajca, valle acoñonado con numerosos meandros.
107
Peñascos del macizo Haligovské skaly, picos con relieves de roca.
108
Červený Kláštor. Lo construyó a principios del siglo XIV la orden de los cartujanos.

109
Pulsatilla grandis

Rhodiola rosea
110–114
Košice, metrópoli de Eslovaquia Oriental; la segunda ciudad más grande de la República Eslovaca.
110
Catedral gótica de Santa Isabel, terminada en el siglo XVI.
111
Teatro Estatal, construido a finales del siglo XIX.
112
Parte de un barrio, moderno de la ciudad.
113
Podio de vencedores en el Maratón Internacional de la Paz, desde el año 1924 organizado en Košice.

En las serpentinas de la Vuelta Ciclista a Eslovaquia.
114–115
Maestros de profesiones calientes: empleado de los altos hornos de Košice y maestro de la vidriería de Lednické Rovne.
116
Vyšné Ružbachy, baños de aguas termales carbonatadas en el macizo de Spišská Magura. Aquí vienen los enfermos para curar sus enfermedades de tipo nervioso y las enfermedades profesionales.
117
Balnearios Bardejovské Kúpele, en la parte nororiental de Eslovaquia. Aquí se curan las enfermedades del aparato digestivo y de las vías respiratorias.
118
Prešov, viejo centro cultural y económico de la región Šariš: ayuntamiento y casas renacentistas en el conjunto histórico y artístico nacional; iglesia parroquial gótica de San Nicolás, construida a mediados del siglo XIV.
119
Monte Sninský kameň, 1005 m, estribación del arco vulcánico de Eslovaquia Oriental en las montañas Vihorlat.
120
Orchis majalis

Menyanthea trifoliata
121
Lutra lutra

Lobo común (Canis lupus)
122–123
Bardejov; plaza de la Insurrección Nacional Eslovaca en el conjunto histórico y artístico. Como curiosida, cabe decir que en 1986 la ciudad obtuvo el Premio Europeo y la medalla de oro por la reconstrucción de sus edificios históricos.
124–125
Muestras del conjunto de arquitecturas de madera más importantes pertenecientes a la arquitectura popular: iglesias populares de Eslovaquia Oriental. En la localidad Miroľa, exterior e interior; Jedlinka, interior; Dobroslava, exterior.
126
Pantano Zemplínska Šírava, de una superficie de 33,5 km² aproximadamente, el centro veraniego más solicitado en Eslovaquia Oriental.
127
Trollius europaeus

Rosa pendulina
128–151
Montañas Vysoké Tatry (Altos Tatras), parque nacional. Constituyen la reserva natural más importante de Checo-Slovaquia y al mismo tiempo una de las zonas más protegidas de Europa.
128–129
Panorama de las únicas muestras de alta montaña en Checo-Slovaquia.
130
Pico Gerlachovský štít, 2655 m, el pico más alto de las montañas y de Checo-Slovaquia.

131
Las paredes de los Tatras ofrecen óptimas condiciones para los alpinistas.

132–133
Kriváň, 2 494 m, pico símbolo de la libertad de los eslovacos.
134
Štrbské pleso, 1 346 m, el lago de los Tatras más frecuentado.
135
Cascadas de Veľký Studený potok.
136
Funicular que va a Skalnaté Pleso, 1751 m; uno continúa al pico Lomnický štít, 2 532 m.
137
Skalnatá dolina, sede del edificio de los Tatras que está a mayor altura sobre el nivel del mar, en Skalnaté pleso, 1 751 m.
138
Trucha (Salmo trutta trutta morpha fario)
139
Final del valle Malá Studená dolina con el arroyo que lleva el mismo nombre.
140
Panorama otoñal del pico Lomnický štít, del pico Kežmarský štít, 2 558 y del pico Huncovský štít, 2 415 m.
141–142
Belianske Tatry. Empezando por la derecha: pico Ždiarska vidla, 2 145 m, Havran, 2 152 m, Nový, 1 999 m; uno de los lugares más importantes en cuanto a su arquitectura popular y lugar de interés turístico, el pueblo Ždiar.
143–145
Tatras Occidentales: panorama de los Bajos Tatras (Nízke Tatry); lago de montaña Tretie Roháčske pleso, 1 652 m, del grupo de profundos lagos que hay en Roháčska dolina.
146
Sanatorio Helios en los balnearios climáticos de Štrbské Pleso, donde se curan enfermedades no específicas de las vías respiratorias.
147
Sanatorio de baños climáticos en Nový Smokovec, donde se curan las enfermedades de las vías respiratorias.
148
Complejo deportivo en Štrbské Pleso, donde tienen lugar competiciones de esquí muy importantes: campeonato del mundo, universiada de invierno, la tradicional Copa de los Tatras y otros hechos relacionados con el esquí.
149
Escuela de esquí infantil en Starý Smokovec.
150
Rebeco de los Tatras (Rupicapra rupicapra tatrica)

Marmota de los Tatras (Marmota marmota tatrica)
151
Pino cedro – cedro (Pinus cembra)

Vaccinum vitis-idala
152
Anémona narciso (Anemona narcissiflora)

Gentiana asclepiadea
153
Pulsátila blanca (Pulsatilla alba)

Primula minima
154–177
Bratislava, capital de la República Eslovaca, sede del Parlamento Eslovaco, del Gobierno de la República Eslovaca, de instituciones políticas, estatales, económicas, sociales, culturales y científicas. También es sede de representaciones consulares.
154–155
Vista al atardecer del Castillo y del Danubio.
156
Castillo de Bratislava, complejo monumental reconstruido que representa y simbolizma más de mil años de historia de los eslovacos. Es sede del tesoro de la cultura nacional, de las colecciones del Museo Nacional Eslovaco. Una parte del castillo está reservada para fines representativos del Parlamento Eslovaco y del presidente de Checo-Slovaquia.
157
Exposición de arte gótico en Eslovaquia (Museo Nacional Eslovaco, Castillo).
158–159
Catedral de San Martín, iglesia parroquial gótica de tres naves, lugar donde coronaron a algunos reyes húngaros. Fue construida en los siglos XIV y XV. Exterior y altar mayor.
160
Matej Donner: María Teresa, reverso de una medalla de la coronación en Bratislava, del año 1741 (Museo Nacional Eslovaco, Castillo).
161
Antiguo palacio de la Cámara Real, de mitad del siglo XVIII, lugar donde tenía lugar el parlamento húngaro. Actualmente sede de la Biblioteca Universitaria.
162
Calle Baštová ulica, una de las calles más antiguas y mejor conservadas de la parte fortificada de la ciudad Bratislava.
163
Fachada del Ayuntamiento Antiguo con su torre, en un principio gótico del siglo XIV y XV. En la edad media era la Casa Consistorial, y actualmente sirve como sede del Museo de la Ciudad.
164
Palacio del Primado (estado antes de su reconstrucción). Edificio representativo clasicista construido en los años 1777–1781. Digno de mención es el hecho de que en su Sala de los Espejos el año 1805, tras la batalla de Slavkov, los representantes de la vencedora Francia y de la derrotada Austria firmaron la llamada Paz de Bratislava o Paz de Presburgo.
165
Casa rococó U dobrého pastiera, joya del núcleo histórico de la ciudad.
166
Edificio del antiguo liceo evangelista, que educó a numerosos representantes de la vida cultural y política eslovaca. Fue construido en el ano 1783.
167
Reduta, sala de conciertos de la Filarmónica Eslovaca, sede de los Días de Música en Bratislava (BHS).
168
Concierto en la torre del Ayuntamiento Antiguo, con motivo de la apertura de Kultúrne leto (Verano Cultural).
169
Edificio del Teatro Nacional Eslovaco, construido en 1886.
170
Edificio de la Radio Eslovaca, construido cien años más tarde.
171
Interior de la Galería Nacional Eslovaca, sede de colecciones de arte y cultura del pueblo eslovaco.
172
Cementerio judío, en el areal del Castillo.
173
Ciudad universitaria en Mlynská dolina.
174
Centro de la ciudad, plaza Kamenné námestie.
175
Centro de la ciudad, plaza SNP (Insurrección Nacional Eslovaca).
176
Areal del puerto Zimný prístav; al fondo el puente Most Hrdinov Dukly (Héroes de Dukla).
177
Fuegos y luces del complejo petroquímico Slovnaft.
178–189
A través de los anillos del tiempo aparece claramente una grieta.

Las nieblas se aclaran, la penumbra del paso del tiempo se ha marchado.

Ya conocemos casi todas las caras de los personajes más importantes, ya vemos sus hechos históricos, que nos llevan a la frontera acotada del tercer milenio.
179
Uhrovec, casa natal de Ľudovít Štúr, líder del renacimiento nacional eslovaco. Un hecho curioso es que en esta misma casa, ciento seis años más tarde, nació Alexander Dubček, uno de los personajes más importantes en el nuevo resurgir checo-slovaco.
180
Myjava, casa museo del Consejo Nacional Eslovaco y de la comandancia del levantamiento eslovaco de los años 1848–1849. Actualmente es museo del

Parlamento Eslovaco. Vista general e interior.

181
Bradlo, obelisco a Milan Rastislav Štefánik, personaje de primera línea en la historia de la diplomacia checo-slovaca y uno de los creadores de Checo-Slovaquia.

182
Estatua del prosista Martin Kukučín, cuya obra pertenece a una de las más valiosas dentro de la prosa realista eslovaca. Medická záhrada, Bratislava.

183
Estatua del poeta Pavol Országh Hviezdoslav, uno de los grandes literatos eslovacos, en la plaza de Bratislava que lleva su nombre.

184
Monumento y museo de la Insurrección Nacional Eslovaca, en Banská Bystrica.

185
Monumento en el lugar de la batalla de Dukla, una de las operaciones militares más sangrientas de la Segunda Guerra Mundial.

186
Estatua del famoso político eslovaco Vladimír Clementis en su pueblo natal Tisovec, delante de la escuela que lleva su nombre.

187
Bratislava, plaza de la Insurrección Nacional Eslovaca (SNP) el 22 de noviembre de 1989, uno de los lugares decisivos de la Revolución de Terciopelo.

188–189
Catastro de la localidad austríaca Hainburg, 10 de diciembre de 1989, primera mirada libre de los ciudadanos de la ya libre Checo-Slovaquia al viejo castillo Devín.

IL LIBRO D'ORO DELLA SLOVACCHIA

INVITO PER UNA VISITA

Un'ampio e largo arco carpatico, e così appare nella sua forma; estendendosi al centro d'Europa, viene chiuso dal Danubio come in una cinta.

Sotto il riparo delle catene montuose dei Carpazi si estende un vastissimo bacino, il cosìdetto Bacino carpatico. Qui, orientata verso nord-ovest si trova la Slovacchia, territorio esteso su 50 000 km^2, a Nord delimitato e sovrastato dai monti Tatra e a Sud delimitato e bagnato dai fiumi Danubio e Ipeľ.

Sorride bonaria la natura a questa terra, creando le condizioni ottimali per l'esistenza della vita, sìa animale che vegetale. Seminò la foresta vergine mezza sommersa dall'acqua nella pianura danubiana, dando anche un esempio della giungla sita più a settentrione. Soffiando le dune di sabbia mobile creò nella regione Záhorie (a sudovest) un piccolo deserto, ed ai monti fondò il Paradiso slovacco (Slovenský raj), un favoloso regno freddo. E altrove città di rocce, valli, gole, canyon, doline, brecce; meravigliose in tutte le stagioni.

Nel Carso slovacco (Slovenský kras) decine e decine d'abissi con sottosuolo come gruviera, sorgenti scroscianti; a Sud saline, paludi, steppe susseguite da poveri boschi; a Nord prati alpini, rocce come funghi, getti basaltici di vulcani ormai spenti, che rappresentano sei stadi di vegetazione, da quello del bassopiano fino a quello delle montagne. Il corrugamento ercinico e alpinico originò il terreno riccamente articolato e frastagliato, sìa in orizzontale sìa in verticale lasciando qui arabeschi passionali. Sull'aspetto estetico l'oregene alpino diede l'ultimo ritocco come una donna per il suo make-up; portandosi via quasi del tutto il carattere tettonico della preistoria remota, dando la possibilità all'uomo di fare il suo ingresso e rendergli possibile l'affondamento del suo aratro neolitico nel suolo.

Processi orogenetici elevando la cima dell'arco carpatico di 50 km^3 ca di granito, l'hanno spinto verso il Nord, fino al confine delle nevi eterne. Formando così al centro d'Europa la sua dominante, una combinazione di calcari e sedimenti d'antichi mari scomparsi, eternamente spumeggiando. L'uomo contemporaneo gioisce intuitivamente e anche coscientemente nel constatare la lentezza dei mutamenti orogenetici e nel ritrovamento di relitti di era terziaria: camosci e marmotte, prede predilette dei cacciatori per via del suo strutto. Ancora oggi si possono vedere qui l'aquila reale e l'enfallibile nocciolaia, un uccello risalente all'era glaciale e seminando ancora i cembri al limite della foresta. Anche la magnificenza della flora sembra esser rimasta come nell'era geologica precedente. Regna ovunque una frescura salutáre, delle formazioni d'erto granito e il silenzio delle valli settentrionali. Molte sono le catene muntuose d'incredibile variatezza. Monti Strážovské, onde abbondano le orchidee. Le catene dei monti d'origine vulcanica offrono in ricco assortimento dei fenomeni tipici geologici, con le cavità imponenti, ad esempio quella di Poľana, oppure grotte sìa orogeneticamente belle, sìa storicamente interessanti, come ad esempio grotte abitate un tempo dai primi uomini.

I fiumi con i loro affluenti costituiscono lo spartiacque, mentre la vite, il castagno ed altre piante il limite settentrionale. Di oltre tremila specie di piante un migliaio appartiene ai muschi, di cui molti originari della regione pannonica dei Carpazi Orientali e dei Balcani; ed altri originariamente provenienti dal Nord.

Il territorio costituisce un grande crocevia per gli animali, per le piante e per gli uomini. Non si contano le tribù etniche che in antichità vennero qui, incantati vi si stabilirono e benchè non definitamente ne hanno lasciato comunque le tracce.

Uno scalpellino sotto gli Alti Tatra e precisamente a Gánovce spaccando un massiccio travertino tira fuori il cervello fossilizzato di un giovane neandertaliano, pensate un po! annegato, almeno così si pensa, centocinquantamila anni fa in un laghetto termale; un pescatore su di uno spiazzo di ghiaia nei pressi del fiume Váh, fa il ritrovamento di una mandibola di donna neandertaliana. Da questo si deduce che qui la vita fu possibile fin degli albori della preistoria.

Un antica madre nel paleolitico superiore seppelisce il suo bambino nella grotta dei Piccoli Carpazi detta Deravá skala, coprendolo con una latta di rame... Un antico uomo cacciatore maddaleniano nella zanna di un mastodonte intaglia una statuetta, detta poi „La Venere moraviana" (che nel primo periodo del ritrovamento fu trasportata e depositata al Museo dell' Uomo a Parigi) e un primitivo mago, con una maschera di cervo, nelle caverne del Carso slovacco esegue i suoi magici e propiziatori balli. La Magna Mater di Nitriansky Hrádok, siede sul suo trono d'argilla e in un gesto adorativo congiunge le mani elevandole verso il cielo, come la Venere di Krásno, uno dei capolavori sorprendentemente astratto della preistoria slovacca.

Davanti ai nostri occhi sfilano gli idoli e le Venere provenienti da disparati luoghi: gioielli, armi, ceramiche e urne preistoriche, tutto questo nascosto nella terra perchè gli uomini d'allora portavano con se i propri tesori anche da morti, per quel senso d'attacamento alla vita; noi uomini moderni in contatto con queste cose percepiamo almeno per un'istante la vita d'allora, lasciandoci delle sensazioni indescrivibili.

Il tempo corre instancabile e persistente in un senso. Silenziosamente tocca le cose e gli uomini: rode, costruisce, distrugge, crea, incide i corsi d'acqua in altipiani, depone alluvioni fertili, stratifica i fini depositi di loess di dodici metri di spessore, dividendoli poi nei focolari antichi degli uomini preistorici. Nei momenti drammatici, con grande rimbombo, fa cadere di trecento metri in profondità la vetta Slavkovský štít, che era fin lì la più alta vetta degl' Alti Tatra. Nelle profondità della terra intreccia le filature delle acque minerali e salutifere, scaturiscenti di migliaia di sorgenti in superfice. Negli strati calcareo-dolomitici costruisce templi di stalattiti e stalagmiti, sale meravigliose, labirinti e abissi, goccia a goccia, minuti, anni, età. Così il tempo creò la grotta Domica, dimora unica del popolo della cultura della foresta di faggi, scava e abellisce il sistema della grotta, lunga oltre venti chilometri – Demänovské jaskyne – la cui bellezza di colori e forme viene ammirata a fiato sospeso. Riempie lentamente d'acqua il terreno alluvionale del bassopiano danubiano, come se prevedesse la sete delle posteriori generazioni. Nasconde le acque salate del mare antico nel sottosuolo delle terme di iodiobromite di Číž e Oravská Polhora; tutt' oggi è possibile a Turzovka-Korňa attingere un pò di petrolio grezzo color rossastro che zampilla dall'unica fonte naturale dell'Europa Centrale.

Il magma rovente dei vulcani inondò per l'ultima volta la verde natura, i venti soffiando i fini strati di loess hanno formato la Tavola di Trnava. I ghiacciai abbandonarono i monti Tatra e i pini comminciarono a germogliare nelle dune sabbiose di Záhorie.

Nelle profondità della terra già giacevano le richezze minerarie: oro, argento, rame, ferro, mercurio, antimonio, sale e magnesio. Nei monti detti più tardi Slanské si trova la pietra preziosa opale. Come la terra modellava il proprio aspetto abbellendosi sempre più, così anche il passato degl'avi modellava la propria intelligenza dandogli sempre più maggior saggezza.

La storia s'intreccia e s'ingarbuglia influenzando le culture. Il paese conobbe l'èra paleolitica e neolitica con la sua rivoluzione, poi quella di bronzo. Anche la civiltà romana diede la sua impronta rimanendoci molti monumenti storici. Limes romanus – fortificazioni al confine dell'Impero Romano. Le stele. La famosa iscrizione romana sulla rupe di Trenčín, il più distante punto settentrionale ove stazionavano le truppe romane. Il primo libro dei monologhi, scritto per caso sulla riva del bellissimo fiume Hron, che ha conservato il suo nome dai tempi remotissimi. Il libro „Ta eis heauton" è dell'imperatore romano Marco Aurelio.

La scenografia geologica e storica è stata preparata agli odierni slovacchi dai bisavoli che già penetrarono per i passi lungo i fiumi mille anni fa. E vi furono anche disegnate delle carte geografiche dai greci Anaximandros e Claudios Ptolemaios.

Dalle steppe orientali scesero gli antenati degli odierni slovacchi stanziandosi nel Bacino Carpatico in tre momenti diversi. Il paese abbastanza caldo e umido, e protetto dal freddo del Nord dalla cinta delle catene montuose, offrì loro le proprie richezze: limpide acque, boschi che abbondarono di animali, legno e pietra, nere e brune terre fertili. Col tempo le migrazioni dei popoli finiscono; quelli ivi trovatisi vi si stabilirono definitivamente per ottenere il diritto della residenza e fondando qui la propria Patria. Divenuti cacciatori, pastori, contadini e artigiani si arroccano con fortini di spalti terrosi, o su palafitte e borghi fortificati sui colli. Fanno la guardia ai valichi ed ai passi, arano il terreno, spaccano e fondano i minerali, battono, tessono. In questa loro operosità magnificamente si sposano l'abilità artigianale e il senso per la belezza, come dimostrano i gioielli della Grande Moravia, lavorati con svariatissime tecniche fino al raggiungimento di una certa raffinatezza, che provengono dall' epoca dei santi Cirillo e Metodo, apostoli della fede cristiana e inventori della scrittura locale.

Gli antenati degli attuali slovacchi ben adottandosi alla loro nuova e generosa Patria, coltivano i campi sulle rive dei fiumi, costruiscono fortini seminterrati, basiliche paleoslave, borghi medievali, chiese romantiche e barocche, cattedrali gotiche sulle già antiche costruzioni romani. Collegano le valli e i fiumi con reti stradali sulle già antiche esistenti, compresa la Via Del Sale (Soľná cesta) ad Est, e la Via Dell' Elettro (Jantárová cesta) ad Ovest. Nonostante le varie invasioni, come quella della marea dei Tartari e del lungo dominio turco, l'antica matrice è rimasta, recuperando anche quel patrimonio artistico culturale. Si è avuta una produzione notevole d'oro e d'argento, ma non rendendosi conto dell' effetivo valore di questi preziosi materiali il popolo se lo lascia sfuggire dalla sua patria verso paesi stranieri. La sola vedova del re Carlo Roberto si portò con sè a Napoli 27 000 oboli d'argento puro, 21 000 oboli d'oro puro, e in più mezza botte di fiorini kremniciani. Si può pensare alla quantità enorme che rappresentava se si considera che ci volevano sei anni d'estrazione d'argento dalle miniere ungheresi e due anni d'estrazione d'oro dalle miniere di tutto il mondo allora conosciuto. I migliai di incantevoli opali originari di Slanské vrchy sono finiti a Budapest oppure a Vienna. Nemmeno „Arlecchino", il più grande e il più bello opale fino alla scoperta delle miniere opaliche d'Australia, è rimasto nel paese d'appartenenza. L'ondate invasive, l'assoggettamento straniero, le guerre e le insurrezioni popolari hanno distrutto e deturpato questi valori dei quali non si ha nemmeno oggi un rendiconto.

Fra i ritrovamenti di rilievo ricordiamo: lo scheletro dell' uomo pitecantropo con il suo figlioletto fossilizzato nella lignite delle miniere novachesi, l'incisione sull'osso a forma di cavallo kertago della grotta Pec, il dente di un bambino preistorico della grotta Deravá skala, il cranio di un uomo neandertaliano della grotta Dreveník.

Di grande pregio è l'arte e la letteratura religiosa, come ad esempio gli altari gotici e i codici d'oro. In alcune biblioteche tutt'ora conservate, precisamente in quella ippologica di Lehnice si trovano antichi libri rilegati in pelle d'oro, e in quella di Stará Ľubovňa antichi libri spagnoli. Inoltre gli ostensori e le icone d'oro.

Ma c'è anche una testimonianza artistica non prettamente religiosa come la culla d'ebano di Gabčíková, appartenente al futuro Giuseppe II, detto Re di Cappello.

Ricordiamo ancora una volta le qualità artistiche artigianali e costruttive dell' uomo qui vivente; come ad esempio il Castello Spišský hrad, il più grande, il Duomo di Santa Elisabetta a Košice, il Duomo di San Giacomo a Levoča e il Duomo di San Martino a Bratislava. In quest'ultimo vennero incoronati alcuni re e regine ungheresi nel periodo dell'espansione turca. Alcuni capolavori del Maestro Paolo di Levoča. Rame per le scure neolitiche ma anche per filature elettriche di giunture. Ferro di Rudňany pure per il convoglio di funi portanti sospeso uno dei ponti bratislavesi. Legno per le plastiche, vetro per i coralli della Grande Moravia, ma anche l'obiettivo del telescopio di Petzval (un cratere lunare porta il suo nome).

Come non ricordare l'artigianato popolare, centinaie di prodotti per l'uso quotidiano, le fiabe e le canzoni popolari slovacche rispecchiano come la fonte limpida in montagna una scala di sentimenti, desideri, passioni, tristezze e gioie, questa inesauribile vitalità del popolo, ancora esistente.

Il Libro d'oro della Slovacchia offre la possibilità di visitare, tramite l'obiettivo della macchina fotografica 50 000 km^2 dell' Europa Centrale. Duecentoventi vedute della natura e di ciò che l'uomo ha apportato. Le vedute sul passato e il presente della Slovacchia – con un popolo radicato nel suo paese come il grano d'oro nel quarzo kremniciano.

VLADIMÍR FERKO

In copertina, lo scorcio panoramico degli Alti Tatra, sul retro il Castello di Bratislava. Nei risguardi La Grande vallata fredda (Veľká studená dolina) e bracci del Danubio. Sul frontespizio la veduta generale dei monti della Slovacchia Centrale.

7–11
Grande libro nella notte dei tempi.

Non appena ebbe termine la creazione del mondo, l'uomo comminciò ad innestare le selvatiche piante, manipolare la sostanza grezza, migliorando così l'aspetto del paese.

Da un lato c'è oro e argento a festeggiare il fascino della donna, dall'altro lato ci sono mattoni sopra mattoni nella costruzione di un gioiello di tutt'altra specie – chiesetta preromantica a Kostoľany pod Tríbečom...

Impronte di tracce d'uomo in argilla, legno, metallo, pietra. Parole e anima della patria.

7
Nella regione slovacca meridionale, nei pressi di Vyškovce nad Ipľom; una parte del grandissimo ritrovamento inerente al periodo romanico, si compone di oltre mille pezzi di monete repubblicane ed imperiali (Museo nazionale slovacco, Castello di Bratislava).

7
Tornio di vaselaio celtico, uno dei ritrovamenti recuperati in Slovacchia Meridionale a Palárikovo (Museo nazionale slovacco, Castello di Bratislava).

7
Monete d'argento, gioielli e vasellame di un commerciante bizantino, ritrovati nella Slovacchia Centrale – Zemiansky Vrbovok (Museo nazionale slovacco, Martin).

7
Orecchini, collane, bottoni, vasi e altri ogetti che risalgono all' Impero della

Grande Moravia, ritrovati nella Slovacchia Occidentale – Ducové (Museo nazionale, Castello di Bratislava).
8
Manico della spada ritrovato nella tomba di un magnate slavo a Blatnica nella Slovacchia Settentrionale (l'originale si trova nel deposito del Museo nazionale magiaro a Budapest).
9
Castello Devín, dal latino castrum, preistorico borgo fortificato, più tardi divenuto stazione per truppe romane. Dal sec. IX borgo fortificato slavo della Grande Moravia. Nel sec. XIII vi fu eretto un castello in stile primo-gotico, contemporaneamente meta di pellegrinaggi nazionali.
10
Castello di Nitra, originariamente, ai tempi dell'Impero Grande-Moravo, borgo fortificato slavo. La fortezza fu eretta nel sec. XI e man mano ingrandita trasformandosi poi in cattedrale, dal XIII fino al XVII secolo.
11
Chiesetta di San Giorgio (kostol sv. Juraja) a Kostoľany pod Tribečom risalente al sec. X. Prima nota d'opera architettonica ben conservata.
12
Stratiote (Stratiotes aloides)
13
Gemme del laghetto termale
14
Otarda o gallina prataiola (Otis tarda)

Testuggine (Emys oribicularis)
15
Cantiere slovacco a Komárno.

Mulino sul Piccolo Danubio (Malý Dunaj), ramo secondario del Danubio.
16–17
Grani del bassopiano danubiano.
18
Piccoli Carpazi ricoperti di vigneti
19
Cooperativa dell'artigianato folcloristico a Modra.

L'anno del viticoltore, su piastrelle di ceramica modrese.
20
Interno della chiesa universitaria a Trnava, con altare principale primo-barocco, 1637/1640.
21
Piešťany, famosa stazione termale, per la cura di malattie motorie e degli stadi post-infortuni: Isola dei bagni (Kúpeľný ostrov) – panorama; piscina per la riabilitazione, nei pressi della casa di cura „Esplanade".
22
Trenčianske Teplice, notevole stazione termale con acque solforose calde, usate nella cura dell'apparato motorio: stabilimento di cura „Krym"; sulla riva del Laghetto delle cicogne (Labutie jazierko), nei pressi dell'Isola dei bagni.
23
Castello Trenčín, originariamente castello residenziale di provincia, con il palazzo e la torre di mattoni, eretto nella seconda metà del sec. XIII. Alcuni edifici restaurati ospitano oggi il museo e la galleria d'arte.

Castello di Beckov, fondato alla fine del sec. XII, dimora reale di confine, a funzione difensiva. Fondato in stile gotico con la torre primo-gotico, ricostruito, ma poi ridistrutto a così si presenta oggi.
24
Castello di Bojnice, originariamente fortezza, venne fondato probabilmente alla fine del sec. XIII. Ricostruito e mutato in castello romantico alla fine del sec. XIX. Oggi ospita il museo.

Villa con castello Topoľčianky, stile classico con colonnato, risalente al sec. XVII, è stata ricostruita e completata. Le sue sale sono adibite a museo. È meta di villeggiatura.
25
Muflone comune (Ovis musimon)

Daino (Dama dama)

26
Bisonte europeo (Bison bonasus)

Tasso (Meles meles)
27
Carpazi Bianchi, area paesaggistica protetta, catene dei Carpazi Occidentali.
28
Monti di Súľov (Súľovské skaly), un'area paesaggistica a nord-ovest della regione fra i Fatra e i Tatra.
29
Pietra rossa (Červený Kameň), originariamente castello reale, documentato dalla prima metà del sec. XIII. Ricostruito nel sec. XVI nella villa rinascimentale-barocca fortificata; oggi adibito a museo. Veduta generale e sala d'ingresso monumentale primo-barocco.
30
Villa rinascimentale con castello a Bytča, costruita come dimora fortificata nel feudalesimo (sec. XVI), Il Palazzo nuziale oggi ospita il museo.
31
Villa barocco-classica ad Antol, edificata nel 1744, serviva da dimora rappresentativa, oggi vi è situata la sede del Museo di selvicultura, cinegetica e della lavorazione del legno. Nella foto edificio che rappresenta in simboli l'anno civile: 4 porte, 12 comignoli, 52 stanze a 365 finestre.

Museo dell'architettura popolare all'aperto nelle vicinanze di Zuberec, nella regione Orava.
32–33
Parco nazionale Piccola Fatra, centrale catena di monti nella regione compresa tra i Fatra e i Tatra.

Canyon Tiesňavy, suggestiva entrata nella valle Vrátna dolina.

Monte Veľký Rozsutec (1610 m. sopra il paese Štefanová).
34
Pianella della Madonna (Cypripedium calceolus)

Genziana minore (Gentiana Clusii)

35
Pedicolare (Pedicularis Oederi)

Pulsatilla slovacca (Pulsatilla slavica)
36
Cicogna nera (Ciconia nigra)

Civetta passerina (Glaucidium passorinum)
37
Lince comune (Lynx lynx)

Martora comune (Martes martes)
38
Due paesi, Podbiel e Vlkolínec, conservati e protetti come in origine.
39
Babia hora (1725 m.), uno dei più visitati monti della regione Orava.

Lago artificiale d'Orava, 35 km^2 di superfice. È uno dei centri sportivi e turistici fra i più rinomati.
40
Castello di Orava in stile gotico, fondato prima dell'anno 1267, una delle meglio conservate costruzioni antiche in Slovacchia. Alcuni edifici restaurati offrono la sede a museo e galleria d'arte (una curiosità: alla cittadella conducono 880 scalini).
41
Le rovine del castello Strečno, eretto ai primi del sec. XIV nella gola sopra il fiume Váh. Nei dintorni vi furono combattimenti feroci durante l'Insurrezione popolare slovacca. Particolarmente significativi erano le lotte dei partigiani francesi.
42
Centro di Žilina, città con notevole nucleo storico, tutelato dalla legge inerente alla protezione dei monumenti storici. (Curiosità: In Slovacchia, L'istituto per la cura dei monumenti storici pone sotto tutela e protezione tutto

ciò che si considera monumento storico o bene culturale, sito in particolare luogo detto riserva storica.)

43
Edificio principale dove risiede l'istituzione tradizionale degli Slovacchi ovunque residenti „Matica slovenská", fondata nel 1863 a Martin.

44
Cimitero nazionale a Martin, il posto dell'ultimo riposo dei patrioti della nazione slovacca.

45
Galleria di Ľudovít Fulla, pittore, illustratore, grafico e scenografo slovacco di rilievo, in Ružomberok.

46–49
Istituto etnografico di Museo nazionale a Martin; esposizione di costumi popolari e cerimoniali.

50
Stella alpina (Leontopodium alpinum)

51
Guardacasa (Sempervivum montanum)

52
Cinghiale (Sus scrofa)

Orso bruno (Ursus aretos)

53–57
Grande Fatra (Veľká Fatra), larga area paesaggistica protetta, al centro della Slovacchia.

53
Monte Rakytov (1567 m.).

54
Monte Čierny kameň (1480 m.).

55
Vallata Gaderská dolina.

56–57
Monte Krížna (1574 m.).

58–63
Monti Metalliferi slovacchi (Slovenské rudohorie), ampia area paesaggistica protetta, nella Slovacchia Centrale.

58
Monte Klenovský Vepor (1338 m.).

59
Kečovské škrapy, la steppa rocciosa con le specie di flora e fauna xerofite.

60
La foresta vergine Dobročský prales, esempio della specie originaria silvestre.

Porcino o boleto (Boletus aereus)

61
Vallata Zádielska dolina, gola strettissima a rilievo frastagliato.

62
Grotta d'aragonite Ochtinská jaskyňa, abbellita sopratutto da ciuffi e cespugli d'aragonite bianca.

63
Grotta Domica, rivestita con picchi, tamburi e laghetti di sintro.

64–65
Lago artificiale Liptovská Mara sull'alto Váh, con 27 km^2 di superfice.

66
Areale dello sport nautico a Liptovský Mikuláš.

67
La più grande delle chiese in legno nella Slovacchia nord-occidentale, di ardita e sorprendente architettura, era situata a Paludza, ora sommerso per la costruzione della diga Liptovská Mara. Ma la chiesa è stata rimossa e ben conservata a Liptovský Svätý Kríž.

68
Východná, vilaggio particolarmente caratteristico e bello, situato sotto i monti Tatra. È sede di un importantissimo festival folcloristico a livello mondiale.

69
Esibizione di Lúčnica, famoso complesso folcloristico slovacco.

70
Margherita alpina tatrese (Leucanthemopsis alpina subsp. tatrae)

Astro alpino (Aster alpinus)

71
Civetta capogrosso (Aegolius funereus)

Gallo cedrone o urogallo (Tetrae urogallus)

72–80
Parco nazionale dei Bassi Tatra, dopo gli Alti Tatra è la seconda più alta catena di monti nella regione fra i Fatra e i Tatra.

72
Monte Ďumbier (2034 m.), la più alta vetta dei Bassi Tatra.

73
Chopok (2024 m.) è uno dei monti più visitati della catena dei Bassi Tatra, anche grazie ai moderni mezzi di trasporto.

74
Funivia di Jasná ai piedi di Chopok.

75
Filare di rupi di Ohnište, alto massiccio di 1539 metri.

76–77
Vallata Lomnistá dolina, ricorda i tempi dell'Insurrezione popolare slovacca.

78
Grotta Demänovská jaskyňa Slobody è la più bella e la più rinomata fra le altre nella Slovacchia. Stupenda e molto complessa,con stalattiti e stalagmiti.

79
Sulla pista di slalom gigante, una delle più antiche competizioni sciistiche in Slovacchia, con in palio la grande coppa „Veľká cena Demänovských jaskýň".

80
Cima della celebrata a leggendaria Kráľova hoľa (1948 m.).

81
Soldanella carpatica (Soldanella carpatica)

Silene acaulis

82–83
Cervo nobile (Cervus elaphus)

84
Castello di Zvolen, originariamente residenza reale di caccia, costruito in stile gotico nel sec. XIV, dopo varie ricostruzioni ospita il museo e la galleria d'arte.

Banská Štiavnica, nel feudalesimo città libera di miniere, d'importanza europea. Oggi protetta come beni culturali. Nella foto – Castello antico (Starý zámok), costruito nel sec. XVI, utilizzato poi per la difesa contro le invasioni turche. (Una curiosità: nel 1627 nelle miniere di Banská Štiavnica viene utilizzata per la prima volta la polvere da sparo a scopo industriale.)

85
Kremnica, antica città di miniere con borgo medioevale. Significative erano le miniere d'argento e d'oro, la zecca reale dove si coniavano dal 1329 le monete d'argento e i superbi ducati d'oro, famosissimi in tutta Europa. La cittadella con il suo castello risalente ai sec. XIV e XV domina splendidamente sulla città.

86–87
Banská Bystrica, capoluogo della Slovacchia Centrale, in passato libera città reale, con industrie minerarie, nell'anno 1944 divenne il centro dell'Insurrezione popolare slovacca. Veduta panoramica della città; piazza storica dedicata all'Insurrezione popolare slovacca.

88
Špania Dolina, antico vilaggio di minatori a Staré hory, museo all'aperto dell'architettura popolare tipica. (Una curiosità: nel sec. XVI è stato qui costruito un acquedotto in legno che partiva dal poderoso monte Prašivá nei Bassi Tatra.)

89
Čičmany, vilaggio caratteristico nei monti Strážovské vrchy, con le opere conservate e protette come in origine. Nelle foto, casa di legno con ornamentazioni bianche esternamente. Usanze carnevalesche mantenute finora.

90
Croco (Crocus hueffelianus alba scepuensis)

Doronico peloso (Doronicum styriacum)

91
Falco sacro (Falco cherrug)

Aquila reale (Aquila chrysaetus)

92–96
Parco nazionale Slovenský raj
92
Gola del fiume Hornád, canyon con dislivello di 300 metri d'altezza.
93
Cascate d'acqua a ciotola nella vallata Suchá Belá.
94
Stretta gola Veľký Sokol.
95
Rupe carsica Tomášovský výhľad.
96
Grotta di ghiaccio Dobšinská ľadová jaskyňa, la più grande in Ceco-Slovacchia; nella Grande sala, il ghiaccio del pavimento raggiunge i 25 centimetri di spessore.
97
Onosma (Onosima tornense)

Dente di cane (Erythronium dens-canis)
98
Castello di Krásna Hôrka del 1318, ricostruito nel rinascimento, oggi museo.
99
Castello della città Kežmarok, originariamente gotico, fondato alla fine del secolo XIV, oggi adibito a museo locale. (Curiosità: la castellana Elisabetta Laski con un gruppo di amici visitò la valle dell'acqua Bianca (Dolina Bielej vody) negli Alti Tatra dando così inizio al movimento turistico.)
100–101
Rovine del Castello di Spiš (lat. Scepusium), del sec. XII ca, il più ampio in territorio slovacco. Ricostruito e restaurato, oggi museo.
102–105
Levoča, capoluogo del Paese dei Spiš, protetta e conservata interamente come in origine. Municipio rinascimentale della metà del sec. XVI; altare maggiore nella chiesa di San Giacomo (kostol sv. Jakuba), alto 18,6 metri, capolavoro del Maestro Paolo di Levoča, capo della bottega d'intaglio in legno famosa nel mondo, fondata nel sec. XV. Tavola dipinta rappresentante l'Adorazione dei Tre Magi, sull'altare trittico „Vir dolorum".
106–108
Parco nazionale Pieniny, nella parte nord-occidentale dei Beschidi orientali.
106
Vallata-canyon con molteplici meandri, formata dal Dunajec.
107
Rupe Ostrá skala, nel massiccio Haligovské skaly, monti con rilievi rocciosi.
108
Červený Kláštor, fondato ai primi del sec. XIV dall'Ordine dei certosini.
109
Pulsatilla (Pulsatilla grandis)

Rodiola rosa (Rhodiola rosea)
110–114
Košice, capoluogo della Slovacchia Orientale, la seconda città per grandezza di tutto il paese.
110
Duomo gotico di Santa Elisabetta (dóm sv. Alžbety), finito nei primi del sec. XVI.
111
Teatro, construito alla fine del sec. XIX.
112
Uno dei quartieri nuovi.
113
Alcuni vincitori della „Maratona internazionale della Pace", organizzata dal 1924 a Košice.

Serpentina della competizione ciclistica „Giro della Slovacchia" (Okolo Slovenska).
114–115
Mastri che lavorano con materiali fusi: metallurgico nello stabilimento siderurgico e soffiatore di vetro nella vetreria Lednické Rovné.
116
Vyšné Ružbachy, terme carboniche nella giogaia Spišská Magura per la cura di malattie del sistema nervoso e altre malattie derivanti da ambienti insani.
117
Bardejovské Kúpele, nella Slovacchia nord-orientale per la cura di malattie dell'apparato digerente e respiratorio.
118
Prešov, antico centro culturale ed economico della regione Šariš; municipio e case rinascimentali sotto protezione e conservazione dei beni culturali; chiesa parocchiale gotica di San Nicola (kostol sv. Mikuláša) della metà del sec. XIV. In primo piano Fontana di Nettuno.
119
Monte Sninský kameň (1005 m.), inizio dell'arco vulcanico est-europeo nella giogaia Vihorlat.
120
Un tipo di orchidea (Orchis majalis)

Trifolio fibrino (Menyanthes trifoliata)
121
Lontra comune (Lutra lutra)

Lupo (Canis lupus)
122–123
Bardejov, Piazza dell'Insurrezione popolare slovacca. (Curiosità: nel 1986, la città ha ottenuto Il Premio Europeo per il restauro dei monumenti.)
124–125
Esempi del complesso dei più considerevoli monumenti dell'architettura popolare in legno – chiesette popolari in Slovacchia Orientale: vilaggio Miroľa, esterni ed interni; Jedlinka, interno; Dobroslava, interno.
126
Lago artificiale Zemplínska šírava (33 km^2 ca). Uno dei più rinomati centri sportivi estivi e di villeggiatura nella Slovacchia Orientale.
127
Trollio europeo (Trollius europaeus)

Rosa calante (Rosa pendulina)

128–151
Catena montuosa degli Alti Tatra, Parco nazionale, la più considerevole area paesaggistica della Ceco-Slovacchia, uno dei posti più tutelati in Europa.
128–129
Scorcio panoramico delle grandi montagne ceco-slovacche.
130
Picco Gerlachovský štít, la più alta vetta in Ceco-Slovacchia.
131
Queste pareti dei monti Tatra sono ideali per l'alpinismo.
132–133
Monte Kriváň (2494 m.) la vetta simbolo della Libertà slovacca.
134
Štrbské pleso (1346 m.), lago glaciale negli Alti Tatra, molto visitato.
135
Cascate del Grande torrente freddo (Veľký Studený potok).
136
Funivia per il lago Skalnaté pleso, a 1751 metri, che prosegue poi al picco Lomnický štít (2632 m.).
137
Vallata Skalnatá dolina, con una parte di Skalnaté pleso sito a 1751 metri.
138
Trota (Salmo trutta trutta morpha fario)
139
Chiusura della Piccola Vallata Fredda (Malá Studená dolina) con il Piccolo torrente freddo (Malý Studený potok).
140
Panorama autunnale del picco Lomnický štít (2632 m), Kežmarský štít (2558 m.) e Huncovský štít (2415 m.).
141–142
Giogaia Belianske Tatry, da destra i monti Ždiarska vidla (2146 m.), Havran (2152 m.), Nový (1999 m.); casa in legno appartenente a skansen, tipica costruzione dell'architettura popolare a Ždiar.
143–145
Monti Tatra Occidentali (Západné Tatry): panorama dei Bassi Tatra; uno dei tre laghi glaciali morenici (Tretie Roháčske pleso) a 1652 metri, situato nella valle Roháčska dolina.
146
Casa di cura „Helios", una delle terme climatiche a Štrbské Pleso per la cura di malattie atipiche delle vie respiratorie.

147
Luogo di cure climatiche delle terme Nový Smokovec, per la malattie delle vie respiratorie.
148
Areale sportivo a Štrbské Pleso, luogo di notevole competizioni sciistiche ad es. „Campionato del mondo“ (1935, 1970), Olimpiadi universitarie (1987), e tradizionale „Coppa Tatra“.
149
La scuola dello sci per bambini a Starý Smokovec.
150
Camoscio di Tatra (Rupicapra rupicapra tatrica)

Marmotta (Marmota marmota tatrica)
151
Cembro (Pinus cembra)

Mirtillo rosso (Vaccinum vitis-idala)
152
Anemone (Anemone narcissoflora)

Genziana (Genziana asclepiadea)
153
Pulsatilla (Pulsatilla alba)

Primula piccola (Primula minima)
154–177
Bratislava, capitale della Repubblica slovacca, sede del Consiglio e del Governo nazionale. In più si trovano le autorità politiche, istituzionali, culturali e uffici consolari.
154–155
Castello di Bratislava e Danubio al crepuscolo.
156
Castello di Bratislava (Bratislavský hrad). Possente complesso monumentale, più volte ricostruito e restaurato; simbolo della storia millenaria slovacca. Oggi parte di esso sede del Museo nazionale slovacco, che raccoglie il tesoro della cultura nazionale. Altre parti sono adibite a sedi rappresentative e presidenziali.
157
Esposizione dell'arte gotica nella Slovacchia (Museo nazionale slovacco, Castello di Bratislava).
158–159
Duomo di San Martino (dóm sv. Martina), chiesa parocchiale a tre navate che era la sede dell'incoronazione dei re d'Ungheria, eretto nel sec. XIV a XV; esterni e altare maggiore.
160
Matej Donner: Maria Teresa, rovescio della medaglia, risalente al 1741 (Museo nazionale slovacco, Castello di Bratislava).
161
Ex-palazzo della Camera Regia proveniente dalla metà del sec. XVIII, sede della Dieta ungherese, oggi Biblioteca universitaria.
162
Via Baštová, una delle più antiche e ben mantenute nel sistema delle fortificazioni urbane.
163
Facciata del Municipio antico (Stará radnica) con la torre, originariamente gotica, risalente al sec. XIV–XV. In Medioevo sede della municipalità, oggi Museo cittadino (Mestské múzeum).
165
La casa del Buon Pastore (dom u Dobrého pastiera), capolavoro rococò, gioiello storico della città.
166
Edificio del liceo evangelico, costruito nel 1783, dal quale sono venuti fuori i più degni rappresentanti della cultura slovacca.
167
Reduta, Sala dei concerti della Filarmonica slovacca dove si svolgono annualmente le manifestazioni di musica classica (Bratislavské hudobné slávnosti).
168
Torre del Municipio – caratteristico concerto che inaugura l'inizio dell'Estate culturale.
169
Edifici del Teatro nazionale slovaco, costruito nel 1886...
170
...e della Radio slovacca, costruito cento anni dopo.
171
Interno della Galleria nazionale slovacca. Un'importante istituzione atta alla raccolta delle opere più rappresentative della arte nazionale.
172
Cimitero giudaico, sopra la riva del fiume, ai piedi della collina del Castello.
173
Vilaggio studentesco a Mlynská dolina.
174
Piazza Kamenné (Kamenné námestie) al centro della città.
175
Piazza dell'Insurrezione popolare slovacca (námestie SNP) al centro della città.
176
Porto d'inverno (Zimný prístav), in secondo piano, ponte degli Eroi di Dukla (most Hrdinov Dukly).
177
Slovnaft – industria petrolchimica.
178–189
Attraverso il grande libro della vita
s'è aperto uno spiraglio onde penetra ormai la luce,
e la nebbia diradandosi pone fine
alla notte dei tempi.
Già conosciamo i volti di quasi tutti i patrioti attraverso i loro atti storici grazie ai quali ci troviamo oggi ben quotati sulla soglia del Terzo millenio.
179
Uhrovec, casa natale di Ľudovít Štúr, protagonista del risorgimento slovacco (centosei anni dopo nella stessa casa è nato Alexander Dubček, il protagonista odierno della storia ceco-slovacca).
180
Myjava, Palazzo memorabile del Consiglio nazionale slovacco e del quartier generale dell'insurrezione slovacca del 1848–49. Oggi Museo del Consiglio nazionale slovacco; veduta generale e interni.
181
Bradlo, tumulo di Milan Rastislav Štefánik, protagonista della resistenza ceco slovacca all'estero e uno dei creatori della costituzione ceco-slovacca.
182
Statua dello scrittore Martin Kukučín. Le sue opere appartengono fra le più pregiate della narrativa slovacca; monumento, situato nei giardini pubblici (Medická záhrada).
183
Statua del poeta Pavol Országh Hviezdoslav, uno dei più grandi scrittori slovacchi, monumento sull' omonima piazza (Hviezdoslavovo námestie).
184
Monumento e museo dell'Insurrezione popolare slovacca a Banská Bystrica.
185
Monumento nella regione Dukla che ricorda la grandiosa battaglia – operazione capratico-duklese – durante la seconda guerra mondiale.
186
Monumento del grande giornalista, politico e uomo di stato Vladimír Clementis; sito nel suo paese natale davanti alla scuola omonima.
187
Bratislava, Piazza dell'Insurrezione popolare slovacca, il 22 novembre 1989, divenuta uno dei posti decisivi della Rivoluzione vellutata.
188–189
Dintorni di Hainburg, piccola cittadina austriaca ai confini con la Ceco-Slovacchia, dalla quale oggi cittadini ceco-slovacchi possono guardare l'antico Castello Devín, un tempo capitale dell'antico Regno Grande-moravo.

ЗОЛОТАЯ КНИГА СЛОВАКИИ

ПРИГЛАШЕНИЕ

Большая дуга Карпат как гигантский лук возвышается в центре Европы – его тетивой является Дунай. Стена горных цепей, а под ними обширная Карпатская котловина – ее северо-западную часть образует Словакия – почти пятьдесят тысяч квадратных километров земной поверхности. Высокие Татры ограничивают ее на севере, реки Дунай и Ипель – на юге.

На этом куске земли природа сотворила благоприятные, даже слишком щедрые условия для растений, животных и людей. На южных придунайских просторах она разместила девственные пойменные леса, образцы самых северных джунглей, на юго-западном – Загорье – небольшую Сахару с мигрирующими песчаными дюнами, в заповеднике Словацкий рай – сказочное царство зимы. А на иных местах – скальные города, широкие долины и узкие каньоны, теснины и проломы, прекрасные во все времена года. В Словацком карсте десятки пропастей, дырявое как швейцарский сыр подземелье, шумное вытекание карстовых вод на поверхность земли, на юге солончаки, болота и лесостепи, на севере альпийские луга, скальные грибы, базальтовые извержения давно потухших вулканов – всего шесть вегетационных поясов, от растительности низменностей до растительности высокогорного характера. Герцинская и альпийская складчатость оставила здесь свои страстные арабески, горизонтально и вертикально исключительно расчлененный рельеф. Окончательное косметическое оформление лица страны лежит на геологической совести альпийского орогена, который значительно редуцировал тектонический характер предшествующего далекого прошлого и подготовил его таким образом к вступлению человека и к тому, чтобы ему было где врезаться своим неолитическим плугом.

Горообразовательные процессы только на вершине большой карпатской дуги подняли пятьдесят кубических километров гранитов вплоть до границы вечных снегов. В Центральной Европе они нагромоздили таким образом свою собственную доминанту, сверх того в сочетании с известняками, отложениями давних морей, которые прошумели здесь часть вечности. И человека до сих пор делает счастливым интуитивная и сознательная радость от того, что время еще не успело уменьшить их высоту, превратив их в нагорную равнину, что в их долинах еще имеются реликты третичной эпохи: быстроногие высокогорные антилопы – серны и сурки, которых когда-то ловили ради целебного жира. Здесь еще можно увидеть величественного орла и восходящую к ледниковому периоду кедровку, которая все время с успехом сажает кедры третичной эпохи высоко над границей леса. Кругом чудесная растительность также с памятью о предшествовавшей геологической эпохе. И везде свежесть, гранитные крутые обрывы, известняковые стены и тишина широких северных долин. Множество соединенных горных цепей – и каждая отличается от других. Горы Стражовске врхи – это территория с самым большим в Европе наличием орхидей, вулканические горы предлагают своеобразный ассортимент явлений, включая импозантную кальдеру – впадину на Поляне, другие предлагают исключительно прекрасные пещеры, а также и такие, которые занимают постоянное место в истории человека.

Важный континентальный водораздел – северная граница виноградной лозы, съедобного каштана и других растений. Из более трех тысяч видов растений почти тысяча видов относится к мохообразным. Многие из паннонской области, другие восточнокарпатского или балканского происхождения, ботаник легко обнаружит и зеленых пришельцев с севера. Самые настоящие перекрестки животных, растений, людей. Никто не подсчитает этнические группы, прошедшие здесь и нашедшие здесь свой временный дом. Эту страну в самом деле полюбили очень многие, и многие в ней оставили красноречивые следы.

Каменотес выломит из травертина в Гановце у подножия Высоких Татр отпечаток мозга молодого неандертальца, утонувшего в озерце с термальной водой сто пятьдесят тысяч лет тому назад, а рыбак на Ваге обратит внимание на челюсть неандертальской женщины в гравийной террасе. Обе находки провозглашали весть фундаментального значения: здесь можно жить.

Давняя мать в древнем каменном веке хоронит своего ребенка в малокарпатской пещере Дерава скала и прикрывает его куском медного листа... Древний магленский охотник вырезает из мамонтовой кости (тогда еще не фоссилизованной) фигурку Моравианской Венеры (часть своего существования она проведет в Музее человека в Париже), а в подземелье Словацкого карста древний колдун с оленьей маской на лице танцует свои магические танцы. И Магна Матер, великая мать из Нитрьянского Градка садится на свой глиняный трон и поднимает руки в знак адорации, так же, как Венера из села Красно, выдающееся (и на удивление уже абстрактное) произведение первобытных времен Словакии.

Перед нами дефилируют идолы и Венеры из различных мест Словакии, украшения и оружие, керамика, урны с пеплом древних людей, а также клады, которые люди зарыли в землю, ибо в тяжелые времена они всегда доверяют земле. Поищем смысл этих материальных артефактов, рассматривая их в качестве волшебных амулетов – с их помощью хотя бы на момент мы сумеем немного вжиться в мышление древних предков людей этой страны.

Время упорно и неутомимо течет в одном направлении. Бесшумно касается вещей, людей, страны; гложет, строит, разрушает, создает, врезает реки в плоскогорья, укладывает свои аллювиальные отложения. Двенадцатиметровым слоем лёсса покрывает очаги людей древних времен. Славковски штит, когда-то самую высокую вершину Высоких Татр, в драматический момент, бушуя, делает ниже на тристо метров. Недра земли пронизывает минеральными и целебными водами, которые тысячами источников пробиваются на поверхность. В слоях известняковых отложений и доломитов оно строит сталактито-сталагмитовые храмы, сказочно прекрасные залы, лабиринты и пропасти, капля по капле, минуты, годы, века. Так оно создает Домицу, уникальное жилище людей буковогорской культуры, выгрызает и украшает систему Деменовских пещер, протянувшихся более чем на двадцать километров в длину, пещер, в которых от красоты цветов и форм прямо-таки захватывает дух. Наносы Малой Средне-Дунайской низменности оно пропитывает водой как губку, как будто помнит о жажде будущих поколений. В подземелье бальнеологического курорта Чиж с йодистобромовыми источниками и в селе Оравска Полгора оно хранит насыщенные солью воды давнего моря, а на северо-западе Словакии в селе Турзовка-Корня, в единственном в Центральной Европе месте естественного вытекания нефти, и сегодня можно набрать бутылочку этой красноватой жидкости.

Вулканы последний раз вылили раскаленную магму в зеленую природу. Ветры принесли лёссовые наносы на будущую Трнавскую табулю. Ледники прочертили последние царапины на татранских гранитах, и на загорных песчаных дюнах начали прорастать семена сосны.

В недрах земли уже были наслоены минеральные богатства – золото и серебро, медь и железо, ртуть и сурьма, травертин и мрамор, соль и магнезит; в горах, которые позже назовут Сланскими, и сверкающий драгоценный камень опал. И так же, как земля наслаивала свои годичные круги, память людей наслаивала опыт, перерастающий в цвет мудрости. Чередуются племена, культуры, эпохи. История сплетается, завязывается узлом, одна культура оказывает влияние на другую. Над страной прошумел палеолит, прошел неолит и его революция, миновал бронзовый век, и настает римская эпоха. И она оставила в Словакии много памятников. Лимес Романус – пограничные укрепления Римской империи. Надгробные стелы. Знаменитая надпись на тренчанской скале, где римляне достигли самой северной точки своей экспансии. Наконец и первая книга, написанная по стечению обстоятельств на берегу Грона, той прекрасной реки, которая сохранила свое название с незапамятных времен. Название книги: „Наедине с собой“. Автор: римский император Марк Аврелий.

Геологическая и историческая арена уже подготовлена. Славянские прапредки современных словаков уже проникают через перевалы и долины рек в страну, часть которой пожалуй на тысячу лет раньше нанес на карту грек Анаксимандр, а после него Клавдий Птолемей. Тремя потоками вливались предшественники словаков в Карпатскую котловину. Страна с достаточным количеством тепла и влаги, защищённая неприступной грядой гор от холодного севера, предлагала все, что имела – чистые воды озер и источников, богатые рыбой и судоходные реки, богатые дичью леса, обилие древесины и камня и плодородный чернозем и бурозем. Переселение народов завершается, и прапредки сегодняшних жителей Словакии поселяются здесь навсегда, чтобы получить право жительства на своей новой родине. Это охотники и пастухи, земледельцы и ремесленники. Они строят срубовые избы, палисады, укрепленные городища. Сторожат перевалы и прорывы, пашут, добывают руды, плавят металлы, куют, ткут. Ловкость ремесленника сочетают с чувством прекрасного, в чем нас убеждают великоморавские украшения времен, предшествующих приходу проповедников христианства и основателей системы письма Кирилла и Мефодия, а также украшения последующих времен. Они являются свидетельством мастерского владения целым рядом приемов металлообрабатывающей техники вплоть до самой высокой – ювелирной – обработки золота и серебра.

Если они действительно пришли на свою новую родину из необозримых восточных степей, то должны были сначала врастать в страну, чтобы позднее – уже измененные ею – вырастать прямо из нее. Из нее они тысячью капилляров впитывали в себя ее первооснову. Абсорбировали геологическую молодость территории и наследство поколений, вбирали её в свои гены, в свою славянскую и словацкую юность, чтобы она снова возвращалась в их мысли, мечты, сны, а главным образом – в их действия.

На обоих берегах рек они обрабатывают поля, строят полуземлянки и старославянские базилики, средневековые города, романские церкви, цепи сторожевых замков-крепостей, ренессансные и барочные дворцы-усадьбы, готические соборы, в которых пространство торжествует над романской тяжестью камня. Соединяют долины и реки сетью дорог, восходящих к тем древним, включая Соляной путь на востоке и Янтарный путь на западе. Куют, ткут, вышивают. Постоянно снова и снова улучшают. Так, как после нашествия татар – монголов, так, как после полуторастолетнего господства турок в южной части Словакии. А каждое нашествие, каждый катаклизм обедняет их, лишает их части культурного наследства. Они переживут такое время, когда их отечество будет производить треть мировой продукции золота и ровно половину мировой продукции серебра. Но оба драгоценных металла быстро утекут за границы их отечества. Вдова короля Карла Роберта увезла отсюда в родной Неаполь 27 000 гривен чистого серебра и 21 000 гривен чистого золота, а в придачу еще и полбочки кремницких флоринов. Это было огромное количество: оно представляло собою шестилетнюю добычу венгерских приисков и двухлетнюю добычу золота во всем известном мире. Тысячи прекрасных опалов из Сланских гор вывозились в Будапешт и Вену, даже известный во всем мире опал Арлекин, который до открытия австралийских опаловых разработок был самым крупным и самым красивым в мире опалом, не остался на своей родине. Слишком много ценностей (и не только материальных) превратили в руины и разорили нашествия, антифеодальные восстания, войны, пронесшиеся над страной. И народ до сих пор не подвел итоги всему тому, чего он лишился большей частью по чужой, а иногда и по своей вине.

Скелет питекантропа с детёнышем из новацких лигнитов. Гравюра на кости, которой придана форма коня из пещеры Пец. Детский зуб кроманьонца из пещеры Дерава скала. Череп неандертальца из пещеры под горой Древеник. Готические алтари и золотые кодексы. Ценная церковная литература. Уникальная гиппологическая библиотека из Легниц в коже и золоте. Переплетенные книги на испанском языке из Старой Любовни. Картины Рембрандта. Золотые дароносицы и иконы. И другие ценности и исторические диковины, как, например, эбеновая колыбель в Габчиково, в которой качали Иосифа II, прозванного „шляпным королем“.

И уже только попутно несколько упоминаний о творческой силе ума и рук человека, живущего в этой стране. Спишский травертин он возвысил, превратив его в Спишский замок, самый большой в его отечестве. Песчаник возвысил до отвесной готики, возведя из него собор святой Алжбеты в Кошице, собор святого Якуба в Левоче и собор святого Мартина в Братиславе, где короновали венгерских королей и королев во время турецкой экспансии. Старые зрелые липы он возвысил, превратив их в самый высокий в мире готический алтарь работы мастера Павла Левочского. Золото возвысил, превратив его в украшения и дароносицы, в кремницкие флорины и дукаты, раскатившиеся по всему миру. Медь он превратил в неолитические топоры и электрическую сеть связи. Железо из Руднян – в гитарный комплект троссов, на которых висит один из мостов Братиславы. Дерево – в скульптуры, стекло – в стеклянные великоморавские бусы, а также и в объектив Петзвала (один кратер на Луне назван его именем).

И как не сказать о народных ремёслах, о самых различных изделиях для потребления и радости? Как не упомянуть о народных сказках и песнях, в которых как в зеркале чистого горного родника отражается широкий диапазон снов и чувств, мечтаний и страстей, печалей и радостей, неодолимая витальность народа, наследника и продолжателя всех, кто сменил друг друга в Карпатской котловине?

Золотая книга Словакии предлагает окошечко, созданное призмой фотографического аппарата, заглянув в которое, можно познакомиться с почти пятьюдесятью тысячами километров Европы. Двести двадцать взглядов на природу и человека, постоянно присутствующего в ней своими делами. Взгляды на прошлое и настоящее Словакии – страны, в которую народ врос как крупинки золота в кремницкий кварц.

ВЛАДИМИР ФЕРКО

На передней странице обложки панорама Высоких Татр, на задней – Братиславского града. На форзаце Велька Студена долина в Высоких Татрах и рукава Дуная. На титульной странице панорама среднесловацких гор.

7–11

Несчетные годичные кольца времени.

Едва закончилось-не закончилось сотворение мира, человек уже запечатлевает на нем свои следы, уже прикосновением ума и рук метит сырую материю и лицо страны.

Раз это золото-серебро, призванное для воспевания очарования женщины, в другой раз опять-таки кладка иного сокровища – дороманская церковка из села Костоляны под Трибечом...

Следы человека, оставленные в глине и дереве, в металле и камне, в слове и душе отчизны.

7

Часть массовой находки более тысячи монет Римской республики и империи на территории южнословацкого села Вышковце-над-Иплём (Словацкий национальный музей, Братиславский град)

7

Кельтское ножное украшение в виде круга из находки в южнословацком селе Палариково (Словацкий национальный музей, Братиславский град)

7

Серебряные монеты, украшения и посуда византийского купца из находки в среднесловацком селе Земянски Врбовок (Словацкий национальный музей, Мартин)

7

Серьги, бусы, пуговицы, миски и другие предметы периода Великоморавского княжества, находка в западнословацком селе Дуцове (Словацкий национальный музей, Братиславский град)

8

Рукоять меча из находки в могиле словацкого вельможи в северословацком селе Блатница (оригинал находится в Венгерском национальном музее в Будапеште)

9

Замок-крепость Девин, первоначально доисторическое городище, позднее римский военный лагерь, с 9-ого столетия великоморавское городище, в 13 столетии построенный в стиле ранней готики замок, в новейшей истории – цель национального паломничества

10

Нитрянский град, первоначально славянское великоморавское городище, замок построен в 11 столетии, кафедральный собор – в течение 13–17 столетий

11

Церковка святого Юрая в селе Костоляны под Трибечом, первый известный сохранившийся в целости архитектурный памятник в Словакии, существовавший очевидно уже в 10 столетии

12

Телорез алоэвидный (Stratiotes aloides)

13

Сокровища термального озерца

14

Обыкновенная дрофа (Otis tarda)

Болотная черепаха (Emys orbicularis)

15

Словацкая судостроительная верфь в Комарно

Мельница на Малом Дунае

16–17

Колосья Малой Средне-Дунайской низменности

18

Малокарпатские виноградники

19

В модранской художественной промкооперации, вырабатывающей майолику и керамику

Виноградарский год, на модранской майоликовой кафельной плитке

20

Интерьер университетской церкви в Трнаве, с главным алтарем раннего барокко 1637–1640 гг

21

Пьештяни, всемирно известный курорт, лечение главным образом заболеваний опорно-двигательного аппарата и состояний после травм: панорама Купельного острова; лечебный бассейн при санатории „Эспланада“

22

Тренчанске-Теплице, известный курорт, лечение главным образом заболеваний опорно-двигательного аппарата: санаторий „Крым“; на берегу Лебединого островка на территории Купельного парка

23

Тренчанский замок, первоначально замок жупы с дворцом и кирпичной башней, построенный во 2-ой половине 13-ого столетия, реставрированные объекты используются в качестве выставочных помещений и для размещения музейных экспонатов

Бецковский замок, возник на рубеже 12 и 13-ого столетий как королевский пограничный сторожевой замок, готический, с башней периода ранней готики, перестраивавшийся, руины в настоящее время законсервированы

24

Бойницкий замок, первоначально укрепленный замок, заложенный по всей вероятности в конце 13-ого столетия, в результате перестройки в конце 19-ого столетия превращенный в романтический замок; используется для экспонирования музейных коллекций

Дворец усадьба в Топольчианках, классицистический дворец 17-ого столетия с аркадами, перестраивавшийся и дополнявшийся, используется для экспонирования музейных коллекций и в целях рекреации

25

Муфлон (Ovis musimon)

Лань (Dama dama)

26

Зубр европейский (Bison bonasus)

Барсук (Meles meles)

27

Белые Карпаты, заповедная территория, горные массивы Внешних Западных Карпат

28

Горы Сулёвске врхи, горный массив северо-западной части Фатранско-татранской области

29

Червены Камень, первоначально королевский укрепленный замок, упоминаемый в письменных документах половины 13-ого столетия, в результате осуществленной в 16 столетии перестройки превращенный в укрепленный ренессансно-барочный замок, в настоящее время используется для экспонирования музейных коллекций: общий вид и sala terrena раннего барокка

30

Ренессансный усадебный дворец с аркадами в Бытче, построенный в 16 столетии как укрепленная резиденция феодала, Венчальный дворец используется для экспонирования музейных коллекций

31

Барочно-классицистический усадебный дворец в Антоле, построенный в 1744 году как репрезентативная резиденция, в настоящее время в нем находится Музей лесоводчества, деревообработки и охоты, из которого и наш снимок (интересный факт: строение символизирует календарный год – имеет 4 ворот, 12 труб, 52 комнаты, 365 окон)

Музей народного зодчества области Орава, на поляне Брестова территории села Зуберец
32–33
Национальный парк Мала Фатра, ядерный горный массив Фатранско-татранской области

Каньон Тьеснявы, впечатляющий вход во Вратную долину

Вельки Розсутец, 1 610 м, над селом Штефанова
34
Венерин Башмачок (Cypripedium calceolus)

Горечавка Клюзия (Gentiana clusii)
35
Мытник Эдера (Pedicularis oederi)

Прострел словацкий (Pulsatilla slavica)
36
Аист черный (Ciconia nigra)

Сыч-воробей (Glaucidium passerinum)
37
Рысь (Lynx lynx)

Лесная куница (Martes martes)
38
Два заповедника народного зодчества: село Подбьел и Влколинец
39
Бабья гора, 1 725 м, одна из самых посещаемых гор области Орава

Водохранилище Орава занимает более 35 км^2 и относится к самым известным центрам летних видов спорта и туризма
40
Готический Оравский укрепленный замок, основанный до 1267 года, одно из наиболее сохранившихся замковых строений Словакии, реставрированные объекты используются для экспонирования музейных коллекций и в качестве картинной галереи (интересный факт: на цитадель ведет 880 ступеней)
41
Руины укрепленного замка Стречно, построенного в теснине над рекой Ваг в начале 14-ого столетия, его окрестности стали свидетелем тяжелых боев во время Словацкого национального восстания, в которых особенно отличились французские партизаны
42
Центр города Жилина, исторический центр города является историко-архитектурным музеем-заповедником
43
Главное здание традиционного национального учреждения Матицы словацкой в Мартине, основанной в 1863 году
44
Национальное кладбище в Мартине, место последнего покоя выдающихся национальных деятелей Словакии
45
Картинная галерея известного словацкого живописца, графика, иллюстратора и декоратора Людовита Фуллы в Ружомберке
46–49
Институт этнографии Словацкого национального музея в Мартине: экспозиции народных праздничных и обрядовых костюмов
50
Эдельвейс альпийский (Leontopodium alpinum)
51
Молодило (Sempervivum montanum)
52
Кабан (Sus scrofa)

Бурый медведь (Ursus arctos)
53–57
Велька Фатра, обширная заповедная территория в центральной части Словакии
53
Гора Ракитов, 1567 м
54
Гора Чьерны камень, 1480 м
55
Гадерска долина
56–57
Гора Крижна, 1574 м
58–63
Словацкие Рудные горы, обширная заповедная территория в центральной части Словакии
58
Гора Кленовски Вепор, 1 338 м
59
Кечовске шкрапы, скалистая степь с сухолюбивыми сообществами растений и животных
60
Доброчский девственный лес, образец исконных лесных сообществ

Boletus seraus
61
Задьелска долина, узкая теснина с расчлененным рельефом
62
Охтинская арагонитовая пещера, украшенная преимущественно образованиями из арагонита в форме пучков и кустиков
63
Пещера „Домица“, украшенная щитами из известковой пены, барабанами и озерцами
64–65
Водохранилище Липтовска Мара в верхнем течении Вага занимает около 27 км^2
66
Комплекс сооружений для различных видов водного спорта в Липтовском Микулаше
67
Самая большая из артикулярных церквей Словакии находилась в селе Палудза, после его исчезновения в результате строительства водохранилища церковь переместили в Липтовский Святой Криж
68
Подтатранское своеобразное село Выходна стало местом проведения традиционного фестиваля народных песен и танцев с международным участием
69
Выступление известного в мире любительского фольклорного ансамбля „Лучница“
70
(Leucanthemopsis alpina subsp. tatrae)

Астра альпийская (Aster alpinus)
71
Мохноногий сыч (Aegolius funereus)

Глухарь (Tetrao urogallus)
72–80
Национальный парк Низкие Татры, второй по высоте после Высоких Татр горный массив в Фатранско-татранской области
72
Самая высокая вершина Низких Татр Дюмбьер, 2 043 м
73
Хопок, 2 024 м, благодаря горной транспортной технике самая посещаемая вершина горного массива
74
Канатная дорога с кабинами из Ясной под Хопок
75
Ряды утесов Огништя, 1 539-метрового горного массива
76–77
Ломниста долина, незабываемая со времени Словацкого национального восстания
78
Деменовская пещера „Свободы“, самая красивая и самая посещаемая из словацких пещер, отличается множеством, разнообразием и блес-

ком сталактито-сталагмитовых образований; на снимке Дерево жизни
79
На дистанции гигантского слалома Большого приза Деменовских пещер, самых старых в Словакии лыжных соревнований
80
Вершина легендарной, воспеваемой Кралёвой голи, 1 948 м
81
Сольданелла карпатская (Soldanella carpatica)

Смолевка бесстебельная (Silene acaulis)
82–83
Благородный олень (Cervus elaphus)
84
Зволенский замок, первоначально готический королевский охотничий замок, построенный в 14 столетии, после реконструкции служит для экспонирования музейных коллекций и в качестве картинной галереи

Банска-Штьявница, в эпоху феодализма свободный город – горнопромышленный центр европейского значения, в настоящее время историко-архитектурный музей-заповедник, на снимке Старый замок, ренессансная крепость, построенная в 16 столетии для защиты от турок (интересный факт: в 1627 году в штьявницких рудниках впервые в горном деле использовали огнестрельный порох)
85
Кремница, древний горняцкий город с монетным двором, где с 1329 года чеканили серебряные гроши, а позднее золотые дукаты: укрепленный комплекс городского замка 14–15 столетий образует доминанту историко-архитектурного музея-заповедника
86–87
Банска-Бистрица, центр средней Словакии, в прошлом свободный королевский горняцкий город, в 1944 году центр Словацкого национального восстания: панорама города; историческая площадь Словацкого национального восстания
88
Шпанья Долина, старое горняцкое село в Старогорских горах, заповедник народного зодчества (интересный факт: в 16 столетии от подножия массива Прашивой в Низких Татрах был проведен деревянный водопровод)
89
Чичманы, своеобразное село и заповедник народного зодчества в Стражовских горах, на снимках двухэтажный деревянный дом с наружным белым декором и один из сохранившихся до наших дней мясопустных обычаев
90
Шафран спишский (Crocus scepuensis)

Дороникум Клюзия (Doronicum styriacum)
91
Балобан (Falco cherrug)

Беркут (Aquila chrysaëtus)
92–96
Национальный парк Словацкий рай
92
Пролом Горнада, каньон с разницей в высоте более трехсот метров
93
Мисове водопады в долине Суха Бела
94
Теснина Вельки Сокол
95
Карстовый утес Томашовски выгляд
96
Добшинская ледяная пещера, самая большая в Чехо-Словакии ледяная пещера, на снимке зал Велька сьень (интересный факт: нижний ледяной настил достигает толщины до 25 м)
97
Оносма турнянская (Onosma tornense)

Собачий зуб (Erythronium dens-canis)
98
Красна Горка, хорошо сохранившийся готический замок, основанный в 13 столетии, перестраивавшийся, в настоящее время используется для целей музейной экспозиции
99
Городской замок Кежмарка, первоначально готический, возник в конце 14-ого столетия, в настоящее время используется для целей музейной экспозиции (интересный факт: кежмарская хозяйка замка Беата Лански со спутниками в 1565 году поднялась в Долину Бьелой воды в Высоких Татрах и таким образом заложила фундамент истории татранского туризма)
100–101
Руины Спишского града, самого большого по занимаемой им площади средневекового замка Словакии, основанного вероятно в 12 столетии, благоустраивавшегося и подвергавшегося перестройкам, в настоящее время используется для целей музейной экспозиции
102–105
Левоча, город в области Спиш, историко-архитектурный музей-заповедник: ренессансная ратуша половины 16-ого столетия; главный алтарь готической церкви святого Якуба, достигающий 18,6 м в высоту, выдающееся творение Мастера Павла, ведущей личности всемирно известной мастерской резьбы по дереву, основанной в 15 столетии; роспись „Поклонение волхвов“ в триптихе Vir dolorum
106–108
Пенинский национальный парк, в северо-западной части Восточных Бескид
106
Пролом Дунайца, каньон с многократными меандрами
107
Остра скала в массиве Галиговских скал, гор со скалистым рельефом
108
Червены Клаштор, в 14-ом столетии его основал орден картезинцев
109
Прострел крупный (Pulsatilla grandia)

Родиола розовая (Rhodiola rosea)
110–114
Кошице, центр восточной Словакии, второй по величине город Словацкой Республики
110
Готический собор святой Алжбеты, строительство которого было завершено в начале 16-ого столетия
111
Государственный театр, построенный в конце 19-ого столетия
112
Новый район города
113
На пьедестале почёта Международного марафона мира, организуемого в Кошице с 1924 года

На серпантине велогонок Вокруг Словакии
114–115
Мастера горячих профессий: металлург металлургического комбината в Кошице и стеклодел стекольного завода в Ледницких Ровнях

116
Вышне Ружбахи, курорт с термальными углекислыми водами в горах Спишска Магура, лечение главным образом заболеваний нервной системы и профессиональных заболеваний
117
Курорт Бардеёвске Купеле в северо-западной части Словакии, лечение заболеваний органов пищеварения и дыхательных путей
118
Прешов, старый культурный и экономический центр области Шариш: ратуша и ренессансные дома в историко-архитектурном музее-заповеднике; готическая приходская церковь святого Микулаша, построенная в половине 14-ого столетия, на переднем плане фонтан Нептуна
119
Гора Снински камень, 1 005 м, начало восточноевропейской вулканической дуги в горном массиве Вигорлат
120
Ятрышник майский (Orchis majalis)

Вахта трехлистная (Menyanthes trifoliata)

121
Выдра речная (Lutra lutra)

Волк обыкновенный (Canis lupus)
122–123
Бардеёв, площадь Словацкого национального восстания в историко--архитектурном музее-заповеднике (интересный факт: за восстановление памятников город в 1986 году получил Европейскую премию и золотую медаль)
124–125
Некоторые из самых значительных памятников народной архитектуры – народных церковок в восточной Словакии: в селах Мироля, экстерьер и интерьер; Едлинка, интерьер; Доброслава, экстерьер
126
Водохранилище Земплинска ширава, площадь водной поверхности около 33,5 км^2, самый популярный центр летних видов спорта и рекреации в восточной Словакии
127
Купальница европейская (Trollius europaeus)

Шиповник альпийский (Rosa pendulina)
128–151
Горный массив Высокие Татры, национальный парк, самая значительная природная территория Чешской и Словацкой Федеративной Республики, одновременно одна из самых значительных охраняемых территорий Европы
128–129
Панорама единственных чехо-словацких высоких гор
130
Герлаховский пик, 2 655 м, самая высокая вершина горного массива и Чехо-Словакии
131
Татранские стены предоставляют прекрасные условия для альпинизма
132–133
Кривань, 2 494 м, символическая вершина свободы словаков
134
Штрбске плесо, 1 346 м, самое посещаемое татранское горное озеро
135
Водопады Велького Студеного потока
136
Канатные дороги с кабинами на Скальнате-Плесо, 1751 м, одна с продолжением на Ломницкий пик, 2 632 м
137
Скальната долина, местоположение лежащего выше всех остальных селений татранского поселка Скальнате-Плесо, 1 751 м над уровнем моря
138
Форель ручьевая (Salmo trutta trutta morpha fario)
139
Устье Малой Студеной долины с горным потоком
140
Осенняя панорама Ломницкого пика, 2 632 м, Кежмарского пика, 2 558 м, Гунцовского пика, 2 415 м
141–142
Бельянские Татры, справа: горы Ждьярска видла, 2 146 м, Гавран, 2 152 м, Новы, 1999 м; один из объектов заповедника народной архитектуры и искусства в своеобразном селе Ждьяр
143–145
Западные Татры: панорама, открывающаяся из Низких Татр; Третье Рогачске плесо, 1 652 м, из группы углубленных моренных озер в Рогачской долине
146
„Гелиос", санаторий климатического курорта Штрбске-Плесо, лечение неспецифических заболеваний дыхательных путей
147
Комплекс лечебниц климатического курорта Новы Смоковец, лечение главным образом заболеваний дыхательных путей
148
Штрбске-Плесо, комплекс спортивных сооружений, место проведения имеющих большое значение лыжных соревнований – первенства мира (1935, 1970), мировой зимней универсиады (1987), традиционного „Татранского кубка" и других соревнований по лыжам
149
Детская лыжная школа в Старом Смоковце
150
Татранская серна (Rupicapra rupicapra tatrica)

Татранский сурок (Marmota marmota tatrica)
151
Кедр европейский (Pinus cembra)

Брусника (Vaccinum vitis-idala)
152
Ветреница нарциссовидная (Anemone narcissiflora)

Горечавка ластовенная (Gentiana asclepiadea)
153
Прострел белый (Pulsatilla alba)

Первоцвет (Primula minima)

154–177
Братислава, столица Словацкой Республики, резиденция Словацкого национального совета, Правительства Словацкой Республики, местонахождение словацких центральных политических, государственных, экономических, общественных, культурных и научных органов и учреждений, консульств
154–155
Вечерная панорама с Градом и Дунаем
156
Братиславский град, монументальный восстановленный замковый комплекс, символизирующий более чем тысячелетнюю историю словаков, местонахождение сокровищницы национальной культуры в собраниях Словацкого национального музея, помещения дворца служат целям государственной репрезентации Словацкого национального совета и президента Чешской и Словацкой Федеративной Республики
157
Экспозиция готического искусства в Словакии (Словацкий национальный музей, Град)
158–159
Собор святого Мартина, готическая трехнефовая приходская церковь, коронационный собор венгерских правителей, построенный в 14–15 веках, экстерьер и главный алтарь
160
Матей Доннер: Мария Терезия, реверс братиславской коронационной медали, 1741 год (Словацкий национальный музей, Град)
161
Бывший дворец Венгерской Королевской палаты, половина 18-ого столетия, место заседаний венгерского сейма, в настоящее время в нем помещается Университетская библиотека
162
Баштова улица, одна из самых старых и лучше всего сохранившихся в городской системе крепости улиц города
163
Фасад Городской ратуши с первоначально готической башней 14–15 столетий, в средние века резиденция городского управления, в настоящее время здесь размещена экспозиция Городского музея
164
Архиепископский дворец (состояние до реконструкции), классицистическое репрезентативное здание, построенное в 1777–1781 годах (интересный факт: в его Зеркальном зале в 1805 году после сражения под Аустерлицем (Славков) представители победившей Франции и побежденной Австрии подписали так называемый Братиславский мир)
165
Здание в стиле рококо „Дом у доброго пастыря" – жемчужина исторического ядра города
166
Здание старого евангелического лицея, воспитавшего многих выдающихся представителей словацкой интеллигенции. Построено в 1783 году

167
Редута, концертный зал Словацкой филармонии, главное место проведения Братиславских музыкальных празднеств
168
Концерт в башне ратуши по случаю открытия Культурного лета
169
Здание Словацкого национального театра, построенное в 1886 году
170
Здание Словацкого радиоцентра на сто лет моложе
171
Интерьер Словацкой национальной галереи, выдающегося общенародного музея изобразительных искусств
172
Еврейское кладбище на территории Замкового холма
173
Студенческий городок в Млинской долине
174
Центр города, Каменне наместие
175
Центр города, площадь Словацкого национального восстания
176
Порт зимнего отстоя, на заднем плане мост Грдинов (героев) Дуклы
177
Огни и свет нефтехимического комбината „Словнафт“
178–189
Сквозь годичные кольца времени уже виден ясный просвет.
Туман поредел, сумерки веков отступили.
Мы уже знаем почти все лица выдающихся деятелей, уже видим их исторические деяния, которые ввели нас в современность, котированную границей третьего тысячелетия.
179
Угровец, родной дом Людовита Штура, ведущей личности словацкого национального возрождения (интересный факт: в этом доме спустя сто шесть лет родился Александр Дубчек, ведущая личность нового чехо-словацкого возрождения)
180
Миява, мемориальный дом Словацкого национального совета и штаба словацкого восстания 1848–1849 годов, в настоящее время Музей Словацкого национального совета; общий вид и интерьер
181
Брадло, могила Милана Растислава Штефаника, ведущей личности чехо-словацкого заграничного движения сопротивления и одного из создателей чехо-словацкой государственности
182
Памятник прозаику Мартину Кукучину, труды которого принадлежат к самым значительным ценностям словацкой реалистической прозы, в братиславской Медицкой заграде
183
Памятник поэту Павлу Орсагу Гвездославу, одной из самых крупных личностей словацкой литературы, на площади, носящей его имя
184
Памятник и Музей Словацкого национального восстания в Банска-Бистрице
185
Памятник на месте сражения на Дукле, месте кровавой карпатско-дукельской операции во время второй мировой войны
186
Памятник выдающемуся словацкому политику, государственному деятелю и публицисту Владимиру Клементису в его родном Тисовце, перед школой, которой присвоено его имя
187
Братислава, площадь Словацкого национального восстания, 22 ноября 1989 года, одно из решающих мест Нежной революции
188–189
Австрийское село Гайнбург, 10 декабря 1989 года, первый свободный взгляд граждан свободной Чехо-Словакии на древнюю крепость Девин

PODROBNEJŠIE TEXTY K SNÍMKAM

7
Časť hromadného nálezu vyše tisíc kusov platidiel Rímskej republiky a cisárstva v chotári obce Vyškovce nad Ipľom, okres Levice (Slovenské národné múzeum, Bratislavský hrad)

7
Keltský nánožný krúžok z nálezu v Palárikove, okres Nové Zámky (Slovenské národné múzeum, Bratislavský hrad)

7
Strieborné mince, šperky a nádoby byzantského kupca z nálezu v Zemianskom Vrbovku, okres Zvolen (Slovenské národné múzeum, Martin)

7
Náušnice, náhrdelníky, gombíky, misy a iné predmety z obdobia Veľkej Moravy, nálezisko Ducové, miestna časť Moravian nad Váhom, okres Trnava (Slovenské národné múzeum, Bratislavský hrad)

8
Rukoväť meča z nálezu v hrobe slovanského veľmoža v Blatnici, okres Martin (originál uložený v Maďarskom národnom múzeu v Budapešti)

9
Hrad Devín, pôvodne predhistorické hradisko, neskôr rímska vojenská stanica, od 9. stor. veľkomoravské hradisko, v 13. stor. postavený ranogotický hrad, v novodobých dejinách cieľ národných pútí

10
Nitriansky hrad, pôvodne slovanské veľkomoravské hradisko, hrad postavený na brale v 11. stor., katedrála postupne od 13. do 17. stor.

11
Kostolík sv. Juraja v Kostoľanoch pod Tríbečom, prvá známa celistvo zachovaná architektúra na Slovensku, existoval zrejme už v 10. stor.

18
V modranskom ľudovoumeleckom výrobnom družstve majoliky a keramiky

19
Vinohradnícky rok, na modranských majolikových kachličkách

20
Interiér univerzitného kostola v Trnave, s hlavným, ranobarokovým oltárom z rokov 1637–1640

21
Piešťany, svetoznáme kúpele na liečbu najmä chorôb pohybového ústrojenstva a stavov po úrazoch: panoráma Kúpeľného ostrova; rehabilitačný bazén pri Liečebnom dome Esplanade

22
Trenčianske Teplice, významné kúpele na liečbu najmä chorôb pohybového ústrojenstva: sanatórium Krym; na brehu Labutieho jazierka v areáli kúpeľného parku

23
Trenčiansky hrad, pôvodne župný hrad s palácom a hranolovou tehlovou vežou, postavený v 2. pol. 13. stor., sídlo oligarchu Matúša Čáka, obnovené objekty sa využívajú na muzeálne a výstavnícke účely

23
Beckovský hrad, vznikol na prelome 12. a 13. stor. ako kráľovský pohraničný strážny hrad, gotický, s ranogotickou vežou, stavebne upravovaný, zrúcaniny v súčasnosti zakonzervované

24
Bojnický zámok, pôvodne hrad založený pravdepodobne koncom 13. stor., koncom 19. stor. prestavaný na romantický zámok, využíva sa na muzeálne účely

24
Kaštieľ v Topoľčiankach, klasicistický arkádový kaštieľ zo 17. stor., stavebne upravovaný a doplňovaný, využíva sa na muzeálne a rekreačné účely

27
Biele Karpaty, chránená krajinná oblasť, pohorie Vonkajších Západných Karpát: pod Vršateckými bradlami

28
Súľovské vrchy, horský krajinný celok v severozápadnej časti Fatransko-tatranskej oblasti: Súľovské skaly

29
Červený Kameň, pôvodne kráľovský hrad písomne doložený v pol. 13. stor., v 16. stor. prestavaný na opevnený renesančno-barokový zámok, v súčasnosti sa využíva na muzeálne účely: celkový pohľad a ranobaroková Salla terrena

30
Renesančný arkádový kaštieľ v Bytči, postavený v 16. stor. ako opevnené feudálne sídlo, Sobášny palác sa využíva na muzeálne účely

31
Barokovo-klasicistický kaštieľ v Antole, postavený r. 1744, v súčasnosti sídlo Lesníckeho, drevárskeho a poľovníckeho múzea, z ktorého je naša snímka (zaujímavosť: stavba symbolizuje kalendárny rok – má 4 brány, 12 komínov, 52 izieb, 365 okien)

31
Múzeum ľudovej architektúry Oravy v chotári obce Zuberec na poľane Brestová

32–38
Národný park Malá Fatra, jadrové pohorie Fatransko-tatranskej oblasti

32
Kaňon Tiesňavy, pôsobivý vstup do Vrátnej doliny

33
Veľký Rozsutec nad obcou Štefanová, 1 610 m

38
Dve rezervácie ľudovej architektúry: oravská obec Podbiel a Vlkolínec, časť liptovského mesta Ružomberok

39
Babia hora, 1 725 m, najvyšší vrch rovnomennej horskej skupiny v podcelku Oravských Beskýd

39
Vodná nádrž Orava sa rozprestiera na ploche vyše 35 km^2 a patrí k vyhľadávaným strediskám letných športov a turistiky

40
Gotický Oravský hrad, založený pred r. 1267, jedna z najzachovalejších hradných stavieb na Slovensku, obnovené objekty sa využívajú na muzeálne a galerijné účely (zaujímavosť: na citadelu vedie 880 schodov)

41
Zrúcaniny hradu Strečno, postaveného v tiesňave nad riekou Váh zač. 14. stor., okolie sa stalo svedkom ťažkých bojov počas Slovenského národného povstania, pri ktorých sa obzvlášť vyznamenali francúzski partizáni

42
Centrum okresného mesta Žilina, historické jadro je pamiatkovou rezerváciou

43
Hlavná budova tradičnej národnej inštitúcie Matice Slovenskej v Martine, založenej r. 1863

44
Národný cintorín v Martine, miesto posledného odpočinku významných národných dejateľov Slovenska

45
Galéria významného slovenského maliara, grafika, ilustrátora a scénografa Ľudovíta Fullu v Ružomberku

46–49
Etnografický ústav Slovenského národného múzea v Martine: expozície ľudových sviatočných a obradných odevov

53–57
Veľká Fatra, rozložitá chránená krajinná oblasť v centrálnej časti Slovenska

53
Rakytov, 1 567 m

54
Čierny Kameň, 1 480 m

56/57
Krížna, 1 574 m

58–63
Slovenské rudohorie, rozsiahla chránená krajinná oblasť v centrálnej časti Slovenska

58
Klenovský Vepor, 1 338 m

59
Kečovské škrapy, skalná step so suchomilnými spoločenstvami flóry a fauny

60
Dobročský prales, ukážka pôvodných lesných spoločenstiev

61
Zádielska dolina, úzka tiesňava s členitým reliéfom (zaujímavosť: je jednou z najbohatších lokalít ulitníkov v strednej Európe)

62
Ochtinská aragonitová jaskyňa, vyzdobená zväčša bielymi aragonitovými útvarmi v tvare trsov a kríčkov

63
Jaskyňa Domica, vyzdobená sintrovými štítmi, bubnami a jazierkami

64/65
Vodná nádrž Liptovská Mara na hornom toku Váhu sa rozprestiera na ploche okolo 27 km^2

67
Najväčší z artikulárnych drevených kostolov na Slovensku bol v Paludzi, po jej zániku v dôsledku výstavby vodného diela ho premiestnili do Liptovského Svätého Kríža

68
Podtatranská rázovitá obec Východná sa stala dejiskom tradičného festivalu ľudových piesní a tancov s medzinárodnou účasťou

69
Z vystúpenia vo svete známeho amatérskeho folkloristického súboru Lúčnica

72–80
Národný park Nízke Tatry, po Vysokých Tatrách druhé najvyššie pohorie vo Fatransko-tatranskej oblasti

72
Najvyšší vrch pohoria Ďumbier, 2 043 m

73
Chopok, 2 024 m, vďaka horským dopravným zariadeniam najnavštevovanejší vrch pohoria

74
Kabínková lanovka z Otupného v Jasnej pod Chopok na Brhliská, 1 602 m

75
Bralnaté rady Ohnišťa, 1 539 m vysokého horského masívu

76/77
Lomnistá dolina, pamätná z obdobia Slovenského národného povstania

78
Demänovská jaskyňa Slobody, najkrajšia a najnavštevovanejšia zo slovenských jaskýň, vyniká množstvom, pestrosťou a leskom kvapľových útvarov; na snímke Strom života

79
Na trati obrovského slalomu Veľkej ceny Demänovských jaskýň, najstarších lyžiarskych pretekov na Slovensku

80
Vrchol legendárnej, ospevovanej Kráľovej hole, 1 948 m

84
Zvolenský zámok, pôvodne gotický kráľovský poľovnícky zámok postavený v 14. stor., po rekonštrukcii slúži muzeálnym a galerijným účelom

84
Banská Štiavnica, za feudalizmu slobodné banské mesto európskeho významu, v súčasnosti pamiatková rezervácia; na snímke Starý zámok, renesančná protiturecká pevnosť vybudovaná v 16. stor. (zaujímavosť: r. 1627 v štiavnických baniach prvý raz použili v baníctve strelný prach)

85
Kremnica, starobylé slobodné banské mesto s mincovňou, kde od r. 1329 razili strieborné groše a neskôr zlaté dukáty, opevnený komplex mestského zámku zo 14.–15. stor. tvorí dominantu pamiatkovej rezervácie

86–87
Banská Bystrica, metropola stredného Slovenska, v minulosti slobodné kráľovské banské mesto, r. 1944 centrum Slovenského národného povstania: panoráma mesta; historické námestie Slovenského národného povstania

88
Špania Dolina, stará banícka obec v Starohorských vrchoch, rezervácia ľudového staviteľstva (zaujímavosť: v 16. stor. bol postavený drevený vodovod spod masívu Prašivej v Nízkych Tatrách)

89
Čičmany, rázovitá obec a pamiatková rezervácia ľudovej architektúry v Strážovských vrchoch; na snímkach poschodový drevený dom s vonkajšou bielou výzdobou a dodnes zachovaný fašiangový zvyk – chodenie s Turoňom

92–96
Národný park Slovenský raj, horský krajinný podcelok v Spišsko-gemerskom krase

92
Prielom Hornádu, kaňonovité údolia s výškovým rozdielom vyše tristo metrov

93
Misové vodopády v doline Suchá Belá

94
Tiesňava Veľký Sokol

95
Krasové bralo Tomášovský výhľad

96
Dobšinská ľadová jaskyňa, najväčšia zaľadnená jaskyňa v Česko-Slovensku, na snímke Veľká sieň (zaujímavosť: podlahový ľad je až 25 m hrubý)

98
Krásna Hôrka, zachovalý gotický hrad založený v 13. stor., stavebne upravovaný, v súčasnosti sa využíva na muzeálne účely

99
Mestský hrad v Kežmarku, pôvodne gotický, vznikol koncom 14. stor., v súčasnosti sa využíva na muzeálne účely (zaujímavosť: kežmarská hradná pani Beata Laski so spoločníkmi r. 1565 vystúpila do Doliny Bielej vody vo Vysokých Tatrách a položila tak základy histórie tatranskej turistiky)

100/101
Zrúcaniny Spišského hradu, najrozsiahlejšieho stredovekého hradu na území Slovenska, založeného asi v 12. stor., stavebne upravovaného a prestavovaného, v súčasnosti sa využíva na muzeálne účely

102–105
Levoča, mesto na Spiši, pamiatková rezervácia: renesančná radnica z pol. 16. stor.; hlavný oltár gotického kostola sv. Jakuba, vysoký 18,6 m, vrcholné dielo Majstra Pavla, vedúcej osobnosti svetoznámej rezbárskej dielne založenej v 15. stor.; maľovaná tabuľa Klaňanie sa troch kráľov na krídlovom oltári Vir dolorum

106–108
Pieninský národný park, v severozápadnej časti Východných Beskýd

106
Prielom Dunajca, kaňonovitá dolina s viacnásobnými meandrami

107
Ostrá skala v masíve Haligovských skál, vrchov s bralnym reliéfom

108
Červený Kláštor, zač. 14. stor. ho založil rád kartuziánov

110–114
Košice, metropola východného Slovenska, druhé najväčšie mesto Slovenskej republiky

110
Gotický dóm sv. Alžbety, dokončený zač. 16. stor.

111
Štátne divadlo, postavené koncom 19. stor.

112
Novšia sídlisková časť mesta

113
V serpentínach cyklistických pretekov Okolo Slovenska

113
Na stupňoch víťazov Medzinárodného maratónu mieru, od r. 1924 usporadúvaného v Košiciach

114–115
Majstri horúcich profesií: hutník z Východoslovenských železiarní v Košiciach a sklár zo Spojených sklární v Lednických Rovniach

116
Vyšné Ružbachy, termálne uhličité kúpele v Spišskej Magure na liečbu najmä nervových chorôb a chorôb z povolania

117
Bardejovské Kúpele, v Ondavskej vrchovine, na liečbu najmä chorôb zažívacieho ústrojenstva a dýchacích ciest

118
Prešov, staré kultúrne a hospodárske centrum Šariša: gotický farský

kostol sv. Mikuláša, postavený v pol. 14. stor., v popredí Neptúnova fontána; radnica a renesančné domy v pamiatkovej rezervácii

119
Sninský kameň, 1 005 m, začiatok východoeurópskeho sopečného oblúka v Chránenej krajinnej oblasti Vihorlat

122/123
Bardejov, námestie Slovenského národného povstania v pamiatkovej rezervácii (zaujímavosť: r. 1986 za obnovu pamiatok získalo mesto Európsku cenu a zlatú medailu)

124–125
Ukážky zo súboru najvýznamnejších pamiatok drevenej ľudovej architektúry – ľudových kostolíkov na východnom Slovensku: Miroľa, exteriér a interiér; Dobroslava, exteriér; Jedlinka, interiér

126
Vodná nádrž Zemplínska šírava, plocha okolo 33,5 km², najvyhľadávanejšie stredisko letných športov a rekreácie na východnom Slovensku

128–149
Tatranský národný park, najvýznamnejšie prírodné územie Českej a Slovenskej Federatívnej Republiky, súčasne jedno z najvýznamnejších chránených území Európy

128/129
Panoráma jediných česko-slovenských veľhôr

130
Gerlachovský štít, 2 655 m, najvyšší vrchol pohoria i Česko-Slovenska

131
Tatranské steny poskytujú výborné podmienky pre horolezectvo

132/133
Kriváň, 2 494 m, symbolický vrch slobody Slovákov

134
Štrbské pleso, 1 346 m, najnavštevovanejšie tatranské pleso

135
Vodopády Veľkého Studeného potoka

136
Kabínkové lanovky na Skalnaté Pleso, 1 751 m, jedna s pokračovaním na Lomnický štít, 2 632 m

137
Skalnatá dolina, sídlo najvyššie položenej tatranskej špecifickej osady Skalnaté Pleso

139
Záver Malej Studenej doliny s rovnomennou bystrinou

140
Jesenná panoráma Lomnického štítu, Kežmarského štítu, 2 558 m, Huncovského štítu, 2 415 m

141–142
Belianske Tatry, sprava: Ždiarska vidla, 2 146 m, Havran, 2 152 m, Nový 1 999 m; pamiatková rezervácia ľudovej architektúry a umenia v rázovitej obci Ždiar sa prezentuje aj takýmto modrým škárovaním a bielym ornamentom

143–145
Západné Tatry: Tretie roháčske pleso, 1 652 m, zo skupiny vyhĺbených morénových jazier v Roháčskej doline; panoráma z Nízkych Tatier

146
Liečebný ústav Helios na Štrbskom Plese, klimatických kúpeľoch na liečbu nešpecifických chorôb dýchacích ciest

147
Liečebný areál klimatických kúpeľov Nový Smokovec na liečbu najmä chorôb dýchacích ciest

Športový areál na Štrbskom Plese, dejisko významných lyžiarskych pretekov – majstrovstiev sveta, zimnej univerziády, tradičného Tatranského pohára a ďalších lyžiarskych podujatí

149
Detská lyžiarska škola v Starom Smokovci

154–177
Bratislava, hlavné mesto Slovenskej republiky, sídlo Slovenskej národnej rady, Vlády Slovenskej republiky, slovenských ústredných politických, štátnych, hospodárskych, spoločenských, kultúrnych a vedeckých orgánov a inštitúcií, konzulárnych zastupiteľstiev

154/155
Podvečerná panoráma s Hradom a Dunajom

156
Bratislavský hrad, monumentálny obnovený hradný komplex symbolizujúci vyše tisícročné dejiny Slovákov, sídlo klenotnice národnej kultúry v zbierkach Slovenského národného múzea; v priestoroch paláca sú aj reprezentačné miestnosti Slovenskej národnej rady a prezidenta Českej a Slovenskej Federatívnej Republiky

157
Expozícia gotického umenia na Slovensku (Slovenské národné múzeum, Hrad)

158–159
Dóm sv. Martina, gotický trojloďový farský kostol, korunovačný chrám uhorských panovníkov, postavený v 14. a 15. stor., exteriér a hlavný oltár

160
Matej Donner: Mária Terézia, reverz bratislavskej korunovačnej medaily z r. 1741 (Slovenské národné múzeum, Hrad)

161
Bývalý palác Kráľovskej komory z pol. 18. stor., dejisko zasadaní uhorského snemu, v súčasnosti sídlo Univerzitnej knižnice

162
Baštová ulica, jedna z najstarších a z mestského hradobného systému najzachovalejších v meste

163
Priečelie Mestskej radnice s radničnou vežou, pôvodne gotickej zo

14. a 15. stor., v stredoveku sídlo mestskej správy, v súčasnosti sú tu expozície Mestského múzea

164
Primaciálny palác (stav pred rekonštrukciou), klasicistická reprezentačná budova postavená v rokoch 1777–1781 (zaujímavosť: v jej Zrkadlovej sieni r. 1805 po bitke pri Slavkove zástupcovia víťazného Francúzska a porazeného Rakúska podpísali takzvaný Bratislavský mier)

165
Rokokový Dom u dobrého pastiera, skvost historického jadra mesta

166
Budova starého evanjelického lýcea, postavená r. 1783; študovala tu štúrovská generácia

167
Reduta, koncertná sieň Slovenskej filharmónie, hlavné dejisko Bratislavských hudobných slávností

168
Koncert na radničnej veži k otvoreniu Kultúrneho leta

169
Budova Slovenského národného divadla, postavená r. 1886

170
Budova Slovenského rozhlasu, postavená o sto rokov neskôr

171
Interiér Slovenskej národnej galérie, vrcholnej celonárodnej umelecko-zberateľskej inštitúcie

172
Židovský cintorín v areáli Hradného vrchu

173
Študentské mestečko v Mlynskej doline

174
Centrum mesta, Kamenné námestie

175
Centrum mesta, námestie Slovenského národného povstania

176
Areál Zimného prístavu, v pozadí Most hrdinov Dukly

177
Ohne a svetlá petrochemického kombinátu Slovnaft

179
Uhrovec, rodný dom Ľudovíta Štúra, vedúcej osobnosti slovenského národného obrodenia (zaujímavosť: v tomto dome o stošesť rokov neskôr sa narodil Alexander Dubček, vedúca osobnosť nového česko-slovenského obrodenia)

180
Myjava, pamätný dom Slovenskej národnej rady a veliteľstva slovenského povstania z rokov 1848–1849, v súčasnosti Múzeum Slovenskej národnej rady; celkový pohľad a interiér

181
Bradlo, mohyla Milana Rastislava Štefánika, vedúcej osobnosti česko-slovenského zahraničného odboja a jedného z tvorcov česko-slovenskej štátnosti

182
Pomník prozaika Martina Kukučína, ktorého dielo patrí k najzávažnejším hodnotám slovenskej realistickej prózy, v bratislavskej Medickej záhrade

183
Pomník básnika Pavla Országha Hviezdoslava, jedného z najväčších zjavov slovenskej literatúry, na rovnomennom bratislavskom námestí

184
Pamätník a Múzeum Slovenského národného povstania v Banskej Bystrici

185
Pamätník v areáli bojiska na Dukle, dejiska krvavej karpatsko-dukelskej operácie v druhej svetovej vojne

186
Pomník významného slovenského politika, štátnika a publicistu Vladimíra Clementisa v jeho rodnom Tisovci, pred školou nesúcou jeho meno

187
Bratislava, námestie Slovenského národného povstania, 22. november 1989, jedno z rozhodujúcich dejísk Nežnej revolúcie

188/189
Chotár rakúskej obce Hainburg, 10. december 1989, prvý slobodný pohľad občanov slobodného Česko-Slovenska na starobylý Devín